ITALIAN SHORT STORIES FOR BEGINNERS

20 Captivating Short Stories to Learn Italian & Grow Your Vocabulary the Fun Way!

Easy Italian Stories Volume 2

Lingo Mastery

www.LingoMastery.com

ISBN: 978-1-951949-18-1

CONTENTS

INTRODUCTION

Have you decided to study Italian? That's a great idea! Italian is a unique language and is used almost exclusively in Italy, apart from a few other close countries like Slovenia and Croatia.

It is considered one of the main languages in Europe and is the third most spoken first language in the European Union, with 69 million native speakers (13% of the EU population), and commonly spoken as a second language by 16 million EU citizens (3%). Including native Italian speakers in non-EU European countries (such as Switzerland and Albania), a total of about 90 million people speak Italian. With you, 90 million plus 1!

Italian is the main working language of the Holy See, and serves as a lingua franca in the Roman Catholic hierarchy and as the official language of the Sovereign Military Order of Malta. Italian has always been used as an official language, especially with regard to music, musical terminology and opera, as well as many composers and manufacturers of musical instruments. Recently, Italian has also been reported as the fourth or fifth most widely-taught foreign language in the world. It will certainly not be by chance that you have decided to learn it! Bravo!

Learning this language could open a lot of new doors for you, both at work and on a personal level: those who speak Italian will appreciate your effort in learning their language and if you find yourself in Italy, you can always count on receiving a helping hand from those you meet.

What the following book is about

This book exists for a specific reason and an often-important element for those who, like you, want to learn Italian: the lack of useful reading material. While in English you can find any translated book or different learning materials, in Italian you often find only difficult texts, which means always having to look up the vocabulary on each line. In the end you would risk getting bored and decide to leave it alone.

Italian is not an easy language, but neither is it terribly difficult. Focus on understanding what your goal is, what your weaknesses are. In the meantime, know that buying this book was the right move.

Our goal is to offer you useful, fun and stimulating material that will not only allow you to learn the language, but to certainly do so with pleasure, as learning new things should be. This is why the book has been well written and revised to ensure that it covers all aspects without having to explain them with unnecessarily complicated rules, as those books that you normally find for sale do.

You can forget about all those slow learning steps, from the rules to reading and understanding the text. Here, we provide a better method! We will teach you how to write and read Italian through stories. Finally, you will receive great help in reading and writing thanks to the additional tools we will give you at the end of each story.

How *Italian Short Stories for Beginners* has been laid out

Through each story you will learn to understand every aspect of the Italian language in a fun way: we have created a series of stories that will each cover a particular instrument of the language. Each one will tell a different story that will involve well-described characters, with

2

their own personalities and conflicts, while ensuring you understand the objective of the particular language tool in Italian. Verbs, pronouns, nouns, directions, time and dates; all these will be covered in this book. We will never introduce concepts that are too difficult to understand, and every piece of vocabulary will help you study the words of the story preceding it.

In order to get the most benefit from the stories, try to do the following:

a) Read the story without distraction, paying attention only to the plot of the story without further elements.
b) Interpret the story you have just read with the use of two summaries—one in English, so that you can make sure you understand everything and can go back to it if there was something you didn't understand well; and another in Italian for when you are a little more practiced, allowing you to create your own personal summary for the book later.
c) Understand the relevant terms expressed during the story by using a list of words that will give you important definitions and clarify any doubts you may have.
d) Last but not least, make sure you understand what you have read by answering a series of simple questions based on the story, with a list of answers if you want to verify your choices.

You will eventually be able to manage the text in front of you independently, without the help of the vocabulary list and using the tools provided at the end of the text. We are here to help you in every possible way, ensuring your enjoyment.

Recommendations for readers of *Italian Short Stories for Beginners*

Before we allow you to begin reading, we have a quick list of tips for getting the best out of this book.

1. Read the stories without any pressure: feel free to return to parts you didn't understand and take breaks when necessary. This is like any fantasy, romance or sci-fi book you'd pick up; you have just to relax and read.

2. Feel free to use any external material to make your experience more complete: while we've provided you with plenty of data to help you learn, you may feel obliged to maybe look up some help on internet—do not think twice about doing so! We even recommend it.

3. Find other people to learn with: while learning can be fun on your own, it definitely helps to do it with friends or your family too. Find a like-minded person to accompany you in this experience, and you may soon find yourself competing to see who can learn the most!

4. Try writing your own stories once you're done: all the material in this book is made for you to learn not only how to read, but how to write as well. If you loved reading, then be the author yourself! Make the magic happen with your pen (or your fingers!).

FREE BOOK!

Free Book Reveals The 6 Step Blueprint That Took Students **From Language Learners To Fluent In 3 Months**

One last thing before we start. If you haven't already, head over to **LingoMastery.com/hacks** and grab a copy of our free Lingo Hacks book that will teach you the important secrets that you need to know how to become fluent in a language as fast as possible. Again, you can find the free book over at **LingoMastery.com/hacks**.

Now, without further ado, enjoy these 20 Italian Stories for Beginners.

Good luck, reader!

Chapter 1

LA CITTÀ CHE NON DORME MAI

Steven e Faith erano innamorati da ancor prima di conoscersi. Entrambi non credevano più nel **colpo di fulmine**, ma sapevano che la vita nasconde sempre delle sorprese e in quelle non avevano mai smesso di sperare.

Si conobbero a un concerto in cui Steven faceva parte del gruppo di apertura e Faith andò a quella festa trascinata dalla sua amica Jessie, **controvoglia**. Non appena i loro sguardi si incrociarono capirono di avere in comune qualcosa in più delle solite passioni, era come se si fossero già conosciuti e innamorati in un'altra vita.

Cominciarono a frequentarsi e impararono a conoscersi, ad amarsi e a **rispettarsi**. Si scrivevano in continuazione mentre Steven era impegnato a registrare il suo nuovo album e Faith era costretta a rimanere al college, prossima alla laurea in Chimica Teorica. "Faith, tesoro, come va la **giornata**?" disse Steven alla cornetta mentre Faith sentiva l'interferenza che si creava con gli **amplificatori** lì vicino.

A lei bastava sentire la voce di Steven per sorridere e pensava a quanto fosse fortunata ad essere la **ragazza** di una futura rock star.

Era il giorno della laurea di Faith. Steven le face la più bella **sorpresa** che potesse mai ricevere, facendosi trovare davanti alle porte dell'Aula Magna, con un bellissimo mazzo di fiori, un regalo e con la sua chitarra Revenge, che non abbandonava mai.

"Complimenti tesoro, sono orgoglioso di te!" Disse Steven stampandole un bacio sulla guancia, tutta arrossata dall'**emozione** dell'esame mista al non essere abituata a vederlo così spesso.

"Grazie! Sarebbe stato tutto diverso se non ci fossi stato tu. Sei il mio **eroe**!" Rispose Faith, guardando con aria curiosa quel pacchettino che Steven conservava sotto la giacca.

Conoscendola molto bene Steven capì che Faith non vedeva l'ora di rilassarsi, dopo tanta tensione e prendendola per mano, le disse: "Andiamo a **festeggiare**, ci stanno aspettando!" Si ritrovarono insieme a tutti gli amici che non vedevano l'ora di conoscere Steven, il quale fece uno spettacolo dedicato a Faith, includendo anche la loro **canzone**: Light Blue.

Oltre ad essere il colore degli **occhi** di Faith, era anche il nome di una delle più importanti mete del paese, conosciuta in tutto il mondo per essere la città dalle mille occasioni. Steven era già stato a Light Blue, mentre Faith l'aveva vista solo attraverso i suoi occhi.

"Faith, ho pensato che fosse il momento di fare qualcosa **insieme**, finalmente", disse Steven dopo che era riuscito a strapparla dalle danze con la sua amica Jessie che li stava osservando **curiosa** dall'altra parte della sala.

Steven Porse una scatolina nelle mani di Faith, la quale aprendola, lo guardò dritto negli occhi urlando: "Sì!"

Partirono insieme per Light Blue: Steven portò con sé solo la sua Revenge mentre Faith aveva riempito le valigie di tutto: articoli dell'università, curriculum ben **redatti** e tanti vestiti. Una volta arrivati, in aeroporto incontrarono Kyle Skyler: un uomo sui 65 anni, alto e sorridente. Stava fumando una sigaretta, al fianco della sua vecchia station wagon: "Ragazzi, benvenuti a Light Blue!"

Steven aveva fatto una paio di **telefonate** prima che partissero e un suo caro amico, Charlie, che aveva lavorato con lui in studio di registrazione, gli diede il contatto di Kyle, per avere un primo appoggio una volta arrivati lì. Faith rispose "Grazie signor Skyler" mentre Kyle, aprendo la **portiera** della macchina, rispose: "Chiamami Kyle, tesoro. Un amico di Charlie è anche mio amico, quindi, nessun problema!"

Trascorsero qualche giorno in compagnia di Kyle fino a quando trovarono un **appartamento** presso il quale si trasferirono e lo salutarono con la promessa di ritrovarsi per una partita a **bigliardo**. Kyle era una persona speciale e sia Steven che Faith lo intuirono subito.

Le cose però non andarono come previsto: Faith non riusciva a trovare un buon lavoro nel suo ramo di studi per la poca esperienza lavorativa, nonostante tutto l'**impegno** che ci mettesse nel contattare Università e laboratori di **ricerca**, mentre Steven suonava ogni sera nei locali del quartiere, speranzoso di esser presto notato da un produttore. Ma tornava a casa la sera con le **mance**, niente di più.

"Amore, il mese prossimo siamo fuori se non riusciamo a pagare le **bollette**. Come faremo?" Faith era sempre quella che si preoccupava per tutto, bombardando di dubbi e domande Steven che, per tranquillizzarla, la abbracciò forte, dandole un bacio sulla **fronte** e dicendole "Non ti preoccupare, ci penso io".

Era arrivato l'inverno e il riscaldamento smise di funzionare, erano ormai senza luce da una settimana e i due innamorati dovettero definitivamente lasciare il loro **nido**. Steven si sentiva responsabile di tutto e così anche degli alti e bassi che colpivano Faith, quando a un tratto, con le valigie in mano, sulla soglia della porta le disse: "Faith, ti ho **promesso** che avrei trovato una soluzione e così sarà. Devi solo fidarti di me."

Presero la metropolitana e vagarono quasi per tutto il giorno, stando al caldo in qualche bar, per il tempo che a Steven venisse un'idea. Aveva telefonato ormai tutti i suoi amici, ma erano troppo occupati o fuori città. Ognuno con la sua vita, preoccupato a risolvere i propri problemi. "Ce l'ho!! Ho trovato **tesoro**! Faith andiamo". "Ma cosa...?" Faith terminò tutto d'un fiato il the verde e lasciando gli ultimi **spiccioli** sul tavolo, seguì di fretta Steven, salutando distrattamente la **cameriera**.

Si sedettero sulle loro valigie, con la chitarra Revenge al fianco mentre Faith continuava a fissare Steven nell'attesa che le spiegasse cosa stessero facendo sulla Country Road, fuori da quel 24 ore alle 10 di sera e con nemmeno un soldo in tasca. Come avrebbero passato la notte? Cosa avrebbero fatto domani? Quando avrebbe fatto la prossima **lavatrice**? Ormai i calzini puliti erano davvero pochi.

"Lo sai, mio padre una volta faceva il **calzolaio**", disse Steven, guardando un punto fisso davanti a sé e senza voltarsi verso Faith, che sembrava piuttosto **nervosa** e spazientita. "E allora?"

"Mi ha insegnato a riconoscere le persone dalle scarpe che indossano" continua a raccontare, mentre la porta a fianco del negozio 24 ore si apre davanti a loro. "Bene, spero che i miei vecchi stivali texani non mentano allora". Faith **sollevò** lo sguardo verso le sue scarpe, mentre guardava le **suole** ormai usurate, segno dei chilometri che avevano percorso negli ultimi tempi.

Quella voce l'aveva già sentita. Era una voce **profonda**, calda, come quella di un **papà**. I suoi occhi si spalancarono non appena vide Kyle, avvolto in un caldo **giaccone** con la sigaretta spenta in bocca. "Andiamo ragazzi, avete due facce distrutte. Seguitemi, c'è un bel letto caldo e una **vasca da bagno** bollente che vi aspetta". Gli occhi di Faith erano così lucidi che sentì che non poteva evitare di

9

piangere. "Qualsiasi cosa dobbiate raccontarmi o spiegarmi, lo farete domani, non con quelle facce che avete ora. Forza, andiamo". Prese in mano la chitarra, si fermò per un attimo al negozio a **comprare** le sigarette e fece strada. Steven prese per mano Faith e guardandola negli occhi, le disse "Fidati amore, fidati sempre di un paio di vecchi **stivali** rotti. Per quanto siano logorati, un bel giorno, sapranno come **sorprenderti**".

Riassunto della Storia

Steven e Faith sono una coppia di giovani ragazzi innamorati ma ognuno ha la sua vita e non possono vivere la storia d'amore come vorrebbero. Il giorno della laurea di Faith, Steven le fa una bellissima sorpresa, regalandole un biglietto per partire insieme alla volta di Light Blue, una nuova città in cui potranno vivere e creare il loro futuro insieme. Tutto sembra andar liscio fino al giorno in cui si ritrovano al verde e non sanno più come fare per pagare l'affitto. Ecco che allora qualcosa nella loro vita cambia, potendo contare sull'appoggio di un uomo, Kyle, che li accoglie nella loro vita, confermando la speranza che le nuove amicizie sono sempre molto preziose nella vita.

Summary of the story

Steven and Faith are a couple in love, but they have their own lives and can't live their love story as they would like. The day of Faith's graduation, Steven surprises her by giving her a ticket to travel together to Light Blue, a new city where they can live and create their future together. Everything would have gone smoothly, except that one day they were broke and no longer could pay the rent. Then something in their life changes, being able to count on the support of Kyle, a man who welcomes them into his life, confirming the belief that new friendships are always very precious in life.

Vocabulary

- **colpo di fulmine:** love at first sight
- **controvoglia:** reluctantly
- **rispettare:** respect
- **giornata:** day
- **amplificatore:** amplifier
- **ragazza:** girlfriend
- **sorpresa:** surprise
- **emozione:** emotion
- **eroe:** hero
- **festeggiare:** celebrate
- **canzone:** song
- **occhi:** eyes
- **insieme:** together
- **curiosa:** curious
- **redatto:** edited
- **telefonate:** phone calls
- **portiera:** door
- **appartamento:** apartment
- **bigliardo:** billiards
- **impegno:** commitment
- **ricerca:** research
- **mance:** tips
- **bollette:** bills
- **fronte:** forehead
- **nido:** nest
- **promettere:** promise
- **spiccioli:** small change
- **cameriera:** waitress
- **lavatrice:** washing machine
- **calzolaio:** shoemaker
- **nervosa:** nervous
- **sollevare:** raise (raise a question) / lift (lift a weight)
- **suole:** soles
- **profonda:** deep
- **papà:** dad
- **usurate:** worn
- **giaccone:** jacket
- **vasca da bagno:** bathtub
- **piangere:** cry
- **comprare:** buy
- **stivali:** boots

Questions about the story

1. **Dove si sono incontrati per la prima volta Steven e Faith?**

   a) Al supermercato

   b) Ad un concerto

   c) In un bar

2. **In cosa si deve laureare Faith?**

   a) Fisica

   b) Filosofia

   c) Chimica

   d) Chimica Teorica

3. **Dove si trova il regalo di laurea di Steven per Faith?**

   a) Lo tiene nella tasca della sua giacca

   b) In una grande scatola, su un tavolo

   c) In una scatolina, in mezzo a tutti i regali

   d) Non ha portato nessun regalo

4. **Come si chiama l'amico di vecchia data di Steven?**

   a) Jack

   b) Kyle

   c) Charlie

5. **Cosa pensa Faith mentre lei e Steven sono seduti sulla Country Road?**

   a) Quando potrà andare a fare la pedicure

   b) Alla sua laurea

   c) Dove dormiranno e cosa faranno domani

Answers

1) B
2) D
3) A
4) B
5) C

Chapter 2

ALLA MEMORIA DI SAM

Sam è uno dei registi più importanti ed affermati al mondo. Aveva diretto più di quaranta film nella sua **carriera**, vincendo tutti i premi esistenti, a parte l'**Oscar**. Con il suo ultimo film ci era andato davvero vicino, vincendo anche il Golden Globe, ma non riuscì a portarsi a casa la tanto ambita **statuetta**. Ormai aveva più di settant'anni, ma aveva promesso alle due figlie che non si sarebbe ritirato prima di averla vinta.

Purtroppo, un anno dopo il suo ultimo film, si era svegliato senza ricordarsi né chi era, né dove fosse. Le figlie, Susan e Loren, lo trovarono che **vagava** per il giardino, e quando arrivarono, lui chiese loro "chi siete voi due?" per poi continuare "e cosa ci faccio qui?"

Sam era davvero molto noto a livello mondiale e quando si sparse la voce che aveva perso la **memoria**, molti medici contattarono le figlie per aiutarlo.

Susan e Loren provarono in tutti i modi a fargli ricordare qualcosa del suo **passato**. Foto di famiglia, articoli di giornale, video dove veniva premiato, foto di attori con i quali aveva lavorato. Niente di niente. Persino l'ex **moglie**, dalla quale si era separato anni prima, era andata a trovarlo varie volte senza riuscire a far nulla. Anzi, veniva mandata via perché Sam si sentiva imbarazzato nel ricevere visite di persone che non conosceva: cioè **tutti**.

Era disperato, aveva capito di essere stato un grande regista, che aveva due figlie e che avrebbe dovuto continuare a fare il suo lavoro, ma non si ricordava nulla su come farlo. Dopo sei **mesi**, improvvisamente decise di andare a vivere in una grande villa di fronte a un **lago**, molto distante da casa, cercando di ricordarsi del suo passato. Almeno questo era quello che aveva detto alle figlie.

Le uniche persone che sentiva regolarmente erano loro due e, una volta ogni tanto, un **medico** che si accertava della sua salute. Niente più domande riguardo al passato. Si sarebbe fatto vivo lui se ci fossero state novità.

Così rimaneva ore ed ore a leggere e a pensare, seduto su una **sedia a dondolo** in riva al lago, sulla soglia di quella enorme villa disabitata. Guardava le foto di famiglia delle due figlie sedute sulle sue ginocchia, mentre si riconosceva nella foto, ma non ricordava tutto il resto. Quarant'anni di film completamente **scomparsi** dalla sua memoria.

Non guardava neppure più la TV. Il medico gli aveva detto "Sam, la guardi al massimo una o due ore al giorno, potrebbe affaticarla troppo e **peggiorare** la situazione". I farmaci non avevano fatto nessun effetto. Si trattava solo di aspettare.

Una sera, vero le dieci sentì il telefono **squillare**. Era Susan, la più grande delle figlie, che gli disse: "Papà, ehm scusa, Sam come stai?" Lui rispose "Come al solito, comunque sono felice di sentirti. Stasera mi sentivo un po' solo".

Susan era **commossa** ma felice. "Volevo dirti di non perdere le speranze. Ci sono al mondo migliaia di casi come il tuo e come dicono i medici, come all'improvviso ti è andata via la memoria, allo stesso modo potrà **tornare**, anzi tornerà di sicuro. Bisogna solo aspettare che il tuo cervello riceva qualche messaggio da qualcosa che vede, o che sente. **Non mollare**, ti voglio bene". Sam rispose: "Susan sei una brava ragazza. Grazie ancora. Proverò a non mollare. Le sto provando tutte. Continuerò a farlo.

Buonanotte".

Prima di riattaccare Susan disse velocemente: "Ti chiedo solo di confermare la **promessa** che ci avevi fatto anche se tu non la ricordi. Sul fatto che quando riacquisterai la memoria, non solo dovrai ricominciare la tua carriera, ma vincere l'Oscar che ti meriti. Promettilo."

Sam rispose commosso "Lo prometto. Non solo a voi ma anche a me stesso. Anzi ti **svelo** un segreto. Sono venuto a vivere qui di fronte al lago, da solo, perché sto scrivendo una nuova storia per un film, semmai tornerò a dirigere. Si intitola *Never Give Up* ed è la storia di qualcuno che perde tutto per poi **riconquistare** la propria vita e vivere felice. Forse è un **sogno**, ma io ci conto. Mancano solo due capitoli e il racconto è finito".

Susan presa dalla contentezza rispose "Oh papà non sai che regalo mi hai fatto! Sono **felicissima**, ora telefono subito a Loren per raccontarle della splendida notizia. Ti voglio bene. A presto."

Sam come aveva detto alla figlia, quella sera si sentiva particolarmente solo e decise di accendere la TV, per la prima volta dopo mesi. *Un'ora o due non mi faranno male*, pensò. *Eviterò di cambiare **canale** così da non vedere troppe immagini e stancarmi.* Si fece del tè caldo, prese una **coperta** e si stese a guardare un documentario. Dopo circa mezzora, sprofondò in lungo sonno. Verso le due di notte, si **svegliò** di colpo per il rumore di un dialogo che sembrava conoscere. Qualcosa dentro di lui si stava smuovendo. Alzò il volume. Non conosceva quel film, ma conosceva tutte le **battute**. Addirittura rideva prima che finissero perché conosceva già il finale. Piangeva e rideva allo stesso tempo per la felicità.

Sentiva che stava **ricordando** tutto. Non solo del film ma riguardo la sua vita. Susan, Loren, la marca della sua auto, i titoli dei suoi film. A quel punto decise di scoprire di chi fosse quel film che

miracolosamente aveva risvegliato la sua memoria. Per sapere chi avrebbe dovuto ringraziare. Appena premuto il tasto INFO, apparvero i nomi degli attori, che lui conosceva tutti personalmente e poi in grande, il regista: Sam Lamp. Era lui! E quel film era suo.

Non dormì più quella notte, felicissimo di poterlo dire al mondo e di ritornare alla sua carriera e alla sua famiglia. Avrebbe mantenuto la promessa, **girando** il film basato sulla storia che stava finendo, "Never Give Up".

Un anno e mezzo dopo, non solo lo fece, ma vinse anche il tanto atteso e meritato Oscar. Durante la cerimonia di **premiazione**, lo avevano accompagnato le figlie Susan e Loren, sedute in mezzo al pubblico.

Le ultime parole del discorso furono: "Ringrazio ancora tutti quelli che mi hanno aspettato, le mie figlie, ma soprattutto voi: il **pubblico**. E poi ringrazio anche me stesso, per non aver mai mollato. È per questo che all'inizio del film, ho fatto aggiungere una riga con scritto *Alla memoria di Sam*. Ma non come si fa di solito per ricordare chi non c'è più. Ma proprio per dire grazie alla memoria che ho riconquistato. Ora mi sento un uomo migliore. Never give up gente. Never give up."

Tutto il pubblico si **alzò in piedi** applaudendo mentre Sam lasciava il palco ricordandosi perfettamente dove si trovava l'uscita.

Riassunto della Storia

Sam è un regista famoso che nella sua carriera ha vinto molti premi, tranne l'Oscar al quale è andato molto vicino. Aveva promesso alle due figlie Susan e Loren che un giorno ci sarebbe riuscito. Una mattina però perse del tutto la memoria. Le figlie lo portarono da tutti i medici più importanti senza risultati, così Sam decise di andare a vivere da solo in una villa di fronte un lago dove, di nascosto, scrisse una storia dal titolo "Never Give Up", aspettando che la memoria tornasse. Una notte, accese la TV e si addormentò. Venne risvegliato dal rumore di dialoghi di un film che lui sembrava conoscere. Riacquistò la memoria trattandosi di un suo film. Alla fine, riuscì a girare il film basato sul racconto che aveva scritto e a vincere il tanto atteso Oscar.

Summary of the story

Sam is a famous director who has won many awards in his career, except for the Academy Award (Oscar), which he came very close to winning. He promised his two daughters Susan and Loren that one day he would succeed. However, one morning he completely lost his memory. His daughters took him to all the most respected doctors with no results, so Sam decided to live alone in a villa in front of a lake where, secretly, he wrote a story called "Never Give Up", expecting to regain his memory. One night, he turned on the TV and fell asleep. He was awakened by the sound of dialogue from a movie he seemed to know. He regained his memory because it was one of his movies. In the end, he managed to make a movie based on the story he had written and to win the long-awaited Oscar.

Vocabulary

- **carriera:** career
- **Oscar:** Academy Award or Oscar
- **statuetta:** statuette
- **vagare:** wander
- **memoria:** memory
- **passato:** past
- **moglie:** wife
- **tutti:** everyone
- **mesi:** months
- **lago:** lake
- **medico:** doctor
- **sedia a dondolo:** rocking chair
- **scomparire:** miss
- **peggiorare:** compound
- **squillare:** ring
- **commosso:** touched
- **tornare:** regain

- **non mollare:** never give up
- **promessa:** promise
- **svelare:** disclose
- **riconquistare:** regain
- **sogno:** dream
- **felicissimo:** very happy
- **canale:** channel
- **coperta:** blanket
- **svegliare:** wake up
- **battute:** dialogues
- **ricordare:** remember
- **miracolosamente:** miraculously
- **girando:** film
- **premiazione:** award ceremony
- **pubblico:** audience
- **alzarsi in piedi:** stand up

Questions about the story

1. **Che lavoro fa Sam?**

   a) Il giornalista

   b) Il regista

   c) Il modello

2. **Dove si trova la casa in cui si ritira Sam?**

   a) Sul mare

   b) In montagna

   c) Al lago

   d) In periferia

3. **Quanto mancava da scrivere a Sam per finire la sua nuova storia?**

   a) Due capitoli

   b) Poche righe

   c) Non riuscì a finirla

4. **Cosa aveva promesso Sam alle sue figlie?**

   a) Di portarle alla casa del lago

   b) Di andarle a trovare una domenica

   c) Di vincere l'Oscar

   d) Di chiamare il suo cane Oscar

5. **Cosa fece Sam prima di guardare la TV?**

   a) Mangiò un panino

   b) Si fece la doccia

   c) Chiamò sua figlia

   d) Si preparò una tazza di tè

Answers

1) B
2) C
3) A
4) C
5) D

Chapter 3

LA CANTINA SPAVENTOSA

"Michele, puoi andare a prendere una **bottiglia** di vino per me e papà?" – "Sai, vorremmo davvero bere un buon bicchiere di rosso per questo bel pranzetto che sto preparando per voi!"

La più che legittima **richiesta** da parte della mamma Laura arrivò come una vera e propria **doccia fredda**. Inaspettatamente a Michele iniziò a **sudare** la **schiena**, divenne **pallido** e **balbettò** intimidito: "Ma...mam...mamma, n-non p-potresti andarci tu, per favore?"

La mamma, che stava **finendo** di **cucinare** per il pranzo **domenicale,** non badando più di tanto allo stato d'animo di suo figlio, disse: "Michele, ti prego, **oramai** sei grande, hai già 12 anni e non dovresti avere **paura** di una **cantina**. Ogni volta la **stessa storia!**"

Per Michele però non si **trattava** della "stessa storia". Da qualche **settimana** infatti, andare in cantina per lui era diventato un vero **incubo**. Non gli era mai successo **prima**, ma qualcosa, da qualche tempo, aveva iniziato proprio a **spaventarlo** a **morte**.

La prima volta **accadde** proprio di domenica e anche quella volta la mamma stava preparando da mangiare. Il papà, Mario, si trovava in **giardino** a **leggere** il **giornale, comodamente** seduto sulla sua **sedia a dondolo**.

A Michele non era mai **dispiaciuto** aiutare i propri **genitori** con le **faccende di casa** e una delle cose che gli piaceva sicuramente di più, era **apparecchiare** la tavola. Vedere tutto in **ordine** lo faceva sentire **orgoglioso**.

23

Alla richiesta di andare a prendere una bottiglia di vino, rispondeva **volentieri** di sì. Almeno fino a quella **famigerata** giornata.

Mentre **scendeva** per le scale di **legno** scricchiolanti, la vecchia **lampadina** che riusciva a illuminare soltanto gli oggetti più in vista, si **fulminò** di colpo. Michele non ci fece più di tanto caso, anche se, in realtà, stava iniziando a **preoccuparsi** seriamente.

Conosceva la cantina come le sue tasche e sapeva **muoversi** con **agilità** anche al **buio**. Infatti, bastarono pochi passi per **afferrare** una delle bottiglie di vino, **girarsi** e **scattare** per tornare verso una luce che iniziava **decisamente** a mancargli.

Proprio in quel **momento**, un **rumore** improvviso lo **raggelò**. Il lamento che seguì quel primo **suono**, gli fece letteralmente **tremare** le gambe e ci mancò davvero poco che non se la **facesse addosso**.

- Cosa faccio? – pensò Michele in quel momento.

Non riusciva a muoversi e il lamento si faceva sempre più **forte** e **inquietante** avvicinandosi chiaramente a lui.

Preso forse più dalla paura che dal **coraggio**, Michele si sbloccò e corse **velocemente** su per le scale, arrivando senza **fiato** in cucina.

La mamma lo guardò un po' **stranita** e gli chiese: "Michele, tutto bene?" e lui, non sapendo esattamente cosa rispondere, si **limitò** ad **annuire**, porgendole la bottiglia di vino e **accomodandosi silenziosamente** a tavola.

Lei non ci fece troppo caso, **almeno** non quella volta. Capitò poi che Michele dovette andare in cantina a prendere il pallone per giocare con i suoi amichetti e fu quasi drammatico.

La mamma, però, è sempre la mamma e **davanti** alla faccia **impallidita** di Michele, di fronte ad una nuova richiesta di scendere in cantina, Laura, volle vederci un po' più **chiaro**.

Quella domenica, davanti all'ennesima esitazione da parte di suo figlio, Laura, si era messa in testa di andare fino in fondo alla faccenda e non si sarebbe fermata, fino a che il suo piccolino, non le avesse dato una spiegazione soddisfacente.

"Michele, cosa c'è che non va?" chiese. "N-nulla, m-mamma, davvero!" rispose lui. Non ancora **convinta**, decise di **accompagnare**, almeno per questa volta, suo figlio, per cercare di **risolvere** quello che **all'apparenza** sembrava un vero e proprio **mistero**.

Sapendo della **lampadina bruciata**, la mamma prese una torcia e scese le scale per prima. Michele la **seguì**. Arrivati **in fondo**, si **avvicinarono** tutti e due alle bottiglie di vino e presero quella che sarebbe servita per il **pranzo**.

"Hai visto? Non c'è proprio **nulla** di cui avere paura!" disse la mamma. Michele tirò un **sospiro di sollievo** e mentre si stava preparando a **salire** le scale, un nuovo **lamento** proveniente da un **angolo** buio, **investì** i due.

L'apparente **tranquillità** della mamma **scomparve** come d'incanto ed entrambi si **precipitarono** al piano di sopra in preda al **panico**.

Le **urla** di **terrore** attirarono **l'attenzione** del papà, che ancora una volta, si stava **godendo** il sole **primaverile** in **giardino**, in attesa del pranzo.

"Ma cosa sta succedendo?" esclamò. Passarono alcuni minuti, prima che uno tra Laura e Michele fosse in grado di dare una risposta **soddisfacente** ed **esaustiva**.

Laura **indicò** la cantina, dicendo semplicemente: "Un lamento **mostruoso**!" e non **aggiunse** altro.

Papà Mario, a quel punto, prese la **torcia** che Laura stava **stringendo** con una forza quasi **innaturale** e si avviò al piano di sotto, con fare **circospetto**.

Sparito nell'ombra della cantina, Laura e Michele si strinsero in un abbraccio che di affettuoso aveva ben poco, ma che serviva in realtà a infondere coraggio a entrambi.

Nessun rumore, nessun lamento...niente di niente. Molto lentamente i due si avvicinarono alla porta della cantina, ma non riuscivano a intravedere nulla e nemmeno a sentire alcun suono.

Proprio quando si stavano per rilassare un attimo, un boato debole proveniente da degli scatoloni caduti, si aggiunse al solito lamento.

Laura, decisamente preoccupata, urlò: "Mario!" ma non ricevette alcuna risposta. Quasi con le lacrime agli occhi iniziarono a sentire lo scricchiolìo delle scale della cantina e videro riemergere Mario con in braccio un bel gattone tigrato.

"Era lui che si lamentava! Poverino, probabilmente aveva tanta fame e stava cercando di attirare la nostra attenzione, ma aveva paura!" disse Mario.

"Paura? Lui aveva paura?" chiese Michele. Laura scoppiò a ridere, non riuscendo a trattenere un paio di lacrime.

Aprirono una scatoletta di tonno per quel micio affamato, che per ringraziare iniziò a rotolarsi sul pavimento, facendo le fusa.

Michele si convinse che i mostri non esistono e che c'è sempre una spiegazione logica per ogni cosa.

Riassunto della storia

Tutte le volte che la mamma chiede a Michele di scendere in cantina, lui viene travolto dalla paura. Rumori e lamenti provengono da quel sotterraneo poco illuminato e lui scappa via ogni volta terrorizzato. Il giorno in cui la mamma Laura decide di affrontare le sue paure insieme a lui, tutto a un tratto scopre che quei rumori sono reali e scappa insieme a Michele al piano di sopra. Sarà papà Mario a risolvere il mistero della cantina con la piacevole sorpresa di avere un amico a 4 zampe nascosto e impaurito quanto loro tra gli scatoloni.

Summary of the story

Every time his mother asks Michele to go down to the cellar, he is overwhelmed with fear. Noises and groans come from that dimly lit cellar and he runs away every time, terrified. The day his mother Laura decides to face his fears with him, all of a sudden, she discovers that those noises are real and she runs away with Michele upstairs. Daddy Mario solves the mystery of the cellar, with the pleasant surprise of having a four-legged friend hidden, and as frightened as they are, among the boxes.

Vocabulary

- **bottiglia**: bottle
- **richiesta**: request
- **doccia fredda**: damper
- **sudare**: sweat
- **schiena**: back
- **pallido**: pale
- **balbettare**: stutter
- **finire:** finish
- **cucinare**: cook
- **domenicale:** Sunday
- **oramai**: by now
- **paura**: fear
- **cantina**: cellar
- **stessa**: same
- **storia**: story
- **trattare**: handle
- **settimana**: week
- **incubo**: nightmare
- **prima**: before
- **spaventare**: scary
- **morte**: death
- **accadde**: happened
- **giardino**: garden
- **leggere**: read
- **giornale**: newspaper
- **comodamente**: comfortably
- **sedia a dondolo**: rocking chair

- **dispiaciuto**: sorry
- **genitori** : parents
- **faccende di casa:** housework
- **apparecchiare**: set
- **in ordine:** tidied up
- **orgoglioso**: proud
- **volentieri:** gladly
- **famigerato:** infamous
- **scendere**: descend
- **legno**: wood
- **lampadina:** light bulb
- **fulminare**: zap
- **preoccuparsi:** to worry
- **muovere:** move
- **agilità**: agility
- **buio**: dark
- **afferrare**: grab
- **girarsi**: turn
- **scattare**: start
- **decisamente**: certainly
- **momento**: moment
- **rumore**: noise
- **raggelare**: freeze
- **lamento**: lament
- **suono**: sound
- **tremare**: tremble
- **farsela addosso**: wet yourself

- **forte**: strong
- **inquietante**: disturbing
- **coraggio**: bravery
- **velocemente**: quickly
- **fiato**: breath
- **stranito**: dazed
- **limitare**: limit
- **annuire**: nod
- **accomodarsi**: settle
- **silenziosamente**: silently
- **almeno**: at least
- **davanti**: in front
- **impallidito**: turned pale
- **chiaro**: bright
- **convinto**: sure
- **accompagnare**: accompany
- **risolvere**: solve
- **apparenza**: appearance
- **mistero**: mystery
- **bruciato**: burned
- **seguire**: follow
- **in fondo**: at the bottom
- **avvicinare**: move close
- **pranzo**: lunch
- **nulla**: nothing
- **sospiro di sollievo**: sigh of relief
- **salire**: climb up
- **angolo**: corner
- **investire**: hit
- **tranquillità**: tranquility
- **scomparire**: disappear
- **precipitare**: rush
- **panico**: panic
- **urlo**: scream
- **terrore**: terror
- **attenzione**: attention
- **godere**: be satisfied
- **primaverile**: spring-like
- **giardino**: garden
- **soddisfacente**: satisfying
- **esaustivo**: complete
- **indicare**: point at
- **mostruoso**: horrific
- **aggiungere**: add
- **torcia**: flashlight
- **innaturale**: unnatural
- **circospetto**: cautios
- **sparito**: vanished
- **ombra**: shadow
- **stringere**: tighten
- **abbraccio**: hug
- **affettuoso**: loving
- **infondere**: instill
- **lentamente**: slowly
- **avvicinare**: approached
- **intravedere**: glimpse
- **rilassare**: relax
- **boato**: roar
- **scatoloni**: boxes

- **preoccupato:** worried
- **ricevere:** get
- **lacrime:** tears
- **scricchiolìo:** crunch
- **riemergere:** resurface
- **in braccio:** in someone's arms
- **poverino:** poor thing
- **scoppiare:** erupt
- **ridere:** laugh

- **un paio:** a couple
- **scatoletta:** can
- **tonno:** tuna
- **affamato:** hungry
- **rotolarsi:** roll around
- **pavimento:** floor
- **fusa:** purr
- **mostri:** monsters
- **spiegazione:** explanation

Questions about the story

1. **Cosa deve prendere Michele in cantina per il pranzo della domenica?**
   a) Una scatola vuota
   b) Un pallone da calcio per giocare con gli amici
   c) Una bottiglia di vino

2. **Cosa si brucia improvvisamente mentre Michele scende in cantina?**
   a) L'unica lampadina che illumina l'ambiente
   b) Il pavimento di legno sotto i suoi piedi
   c) La scala in legno che porta al piano di sotto
   d) La mano di Michele che teneva una torcia

3. **Cosa sente Michele in cantina?**
   a) Una canzone piuttosto inquietante
   b) Un urlo straziante di donna
   c) Un lamento misterioso
   d) Un frastuono di pentole e piatti

4. **Chi accompagna Michele in cantina per scoprire il mistero che lo spaventa?**
   a) Le mamma
   b) Il papà
   c) Nessuno
   d) Tutti e due i genitori

5. **Cosa tiene in braccio il papà di Michele quando riemerge dalla cantina?**
   a) Una bottiglia di vino per il pranzo
   b) Un tappeto vecchio e rovinato
   c) Una lampadina nuova
   d) Un gatto affamato

Answers

1) C
2) A
3) C
4) A
5) D

Chapter 4

UN TUFFO NELLA MEMORIA

In una **calda** giornata d'estate, il signor Anselmo, **decise** di andare a **godere** di un po' d'ombra nel giardino del bar del quartiere.

È un cliente **abituale** del bar e **ordina** sempre la stessa cosa. Un buon **caffè macchiato** caldo e un **bicchierino** di **acqua minerale**. **Frizzante**. Perché a lui piacciono le **bollicine** che gli **solleticano** il **palato**. Inoltre, dopo il caffè ci vuole di sicuro un bel goccio d'acqua per risciacquare la bocca, soprattutto d'estate.

Quel giorno però il suo **tavolo** era **occupato** da un altro signore. Più o meno della stessa età di Anselmo, che, **assorto** nella lettura del suo giornale, **sorseggiava** un caffè con fare indifferente.

Anselmo si guardò **attorno** per vedere se c'era posto da un'altra parte e potersi sedere da solo, senza il pensiero di dover stare troppo appiccicato a qualcun'altro, ma **purtroppo**, in molti avevano avuto la sua stessa idea e si stavano godendo il **fresco** del giardino, che grazie alle sue **piante**, non permetteva ai **raggi** del sole di **riscaldare** eccessivamente l'**ambiente**.

Non aveva proprio **voglia** di entrare all'**interno** del locale, perché l'**aria condizionata** gli faceva male, soprattutto alla schiena, che da qualche **mese** gli dava più **fastidio** del solito.

Un po' **scoraggiato**, si **avvicinò** al "suo" tavolo e **chiese** al signore di potersi **accomodare assieme** a lui, **spiegando** subito che non gli avrebbe dato alcun tipo di **fastidio** e che comunque non sarebbe rimasto molto a lungo seduto al suo stesso tavolo.

Alla richiesta di Anselmo, l'uomo, senza **togliere** gli occhi dal giornale, **acconsentì** con un **laconico**: "Prego..."

"Tanto meglio" pensò Anselmo – "Non avevo nessuna voglia di **chiacchierare**, soprattutto con questo **scocciatore!**". Una volta arrivato il caffè, Anselmo dovette per forza **rivolgere** la parola all'**estraneo** per domandargli una **bustina** di **zucchero**, anche se gli infastidiva un po' doverlo fare.

Questa volta, il signore, alzò gli occhi dal suo giornale, prese una bustina di zucchero e la **porse** ad Anselmo **abbozzando** una specie di sorriso, anche se non sembrava del tutto convinto.

I loro **sguardi** si incrociarono per la prima volta. **Nessuno** parlò. **Almeno** per un po'...

Ad un certo punto, il **misterioso** signore, come per cercare uno **spunto** per una **eventuale conversazione**, disse: "Caldo oggi, vero?"

Anselmo, **leggermente** sorpreso e un po' **irritato** da questa **banale** frase, rispose: "Eh già! Oggi fa veramente caldo. Per questo sono venuto qui, per godermi un po' di fresco in **santa pace!**"

"Certo" – continuò l'altro – "Mai così caldo come in quella **torrida** estate del '68...".

Quella frase fece **scattare** qualcosa nella **mente** di Anselmo e improvvisamente si chiese se questo signore non volesse qualcosa di più che semplicemente **convincerlo** a fare una chiacchierata **noiosa**.

"Non mi ricordo molto di quella estate" – disse Anselmo – "Sono passati così tanti anni, sa...era davvero così caldo?" Il signore rispose con **tono fermo**: "Beh, per quanto riguarda la **temperatura** non era davvero così calda, ce ne sono state di **peggiori**. Però quell'estate me la ricordo molto bene, perché ci fu un **episodio** che mi fece **sudare** davvero molto!"

Anselmo, un po' **preoccupato** e un po' **incuriosito** dalla **piega** che prese la conversazione, cercò di **scoprire** qualcosa in più senza **sbilanciarsi** troppo.

"Cosa è successo per farla sudare tanto?" chiese Anselmo.

"Vede" – rispose il signore – "All'**epoca** ero un **giovane** carabiniere. Non era quello che volevo fare davvero. A me è sempre piaciuta la filosofia e mi sarebbe piaciuto tanto poter continuare a **studiare** finite le **scuole superiori**. Purtroppo però, la mia **famiglia** non era **benestante** e dovetti **iniziare** a **lavorare**, certo, una volta finita la **leva militare** obbligatoria. Tra l'altro, in quegli anni, era una di quelle cose che la maggior parte dei ragazzi della mia età avrebbe evitato ben volentieri. Credo che anche lei sappia il perché..."

Anselmo a questo punto decise di **appoggiare** la tazzina di caffè che stava iniziando a **tremare**, come la sua mano, **solitamente** molto **ferma**. Lentamente, infatti, un pensiero stava prendendo forma nella mente di Anselmo.

"Erano anni **complicati**, quelli..." – continuò il signore – "E una volta mi trovai, mio **malgrado**, nel mezzo di una **manifestazione studentesca**. Ero molto **ingenuo** e mi **attardai** nella **ritirata**, quando gli studenti **iniziarono** a **caricarci**..."

Anselmo tirò fuori un **fazzoletto** di stoffa e si asciugò le evidenti **gocce** di sudore che iniziarono a comparire sulla sua **fronte**.

"E che successe?" chiese Anselmo, incuriosito e preoccupato.

"**Caddi** a terra e pensai che fosse davvero finita", **replicò** il signore.

"E invece?" chiese sempre più **nervoso** Anselmo.

"**Invece** uno studente, un ragazzo molto giovane, fece un **gesto** che non mi sarei mai aspettato da quelli che all'epoca erano **considerati** i nostri **nemici giurati**. Si **gettò** su di me, **coprendomi** dalla carica

35

degli altri studenti **inferociti**, prendendosi anche qualche **botta**, fino a che qualcuno **urlò** di **smetterla**."

"I-io..." **balbettò** Anselmo.

"Quel ragazzo era uno dei **capi** della **rivolta**, altrimenti non si spiega come quella **moltitudine** di ragazzi pieni di **rabbia**, abbia deciso di **fermarsi** e lasciarmi andare via, praticamente senza un **graffio**."

"M-ma i-io..." Anselmo non riuscì a **formulare** una frase di **senso compiuto**.

"Vede" – replicò ancora il signore – "Per anni ho cercato di trovare quel ragazzo, per dirgli grazie. Ho sempre voluto **ringraziarlo** per avermi **salvato** la **vita**".

Anselmo **incredulo**, lo fissò senza dire una sola parola. Nemmeno se la **ricordava** più quella storia. Erano passati così tanti anni e aveva **rimosso** quello **spiacevole episodio**, che, allora, dopo così tanto tempo venne **riesumato** da questo strano signore.

"Beh, grazie per la **chiacchierata**. Posso **offrirle** quel caffè? Mi farebbe davvero piacere!"

Anselmo, si limitò a dire: "Grazie!"

"**Spero** di rivederla presto, magari proprio a questo tavolo. Fa sempre piacere **scambiare** due parole con un **coetaneo**".

"Certo" – disse Anselmo – "Io vengo qui tutti i giorni. Mi farebbe piacere."

I due si salutarono con un **sorriso**. Un ricordo di tanto tempo fa, **rivissuto** con occhi diversi di due **uomini** che non sono mai stati nemici per davvero.

Riassunto della storia

Anselmo è un tranquillo e anziano signore che, durante una calda giornata d'estate, cerca un po' di fresco nel giardino del bar del quartiere. Il suo solito tavolino è occupato e si accomoda assieme a un signore che lentamente inizia a rivolgerli la parola, fino a raccontare una storia che torna famigliare anche ad Anselmo. Un ricordo di tanto tempo fa, dimenticato, riemerge all'improvviso e permette a due anziani signori di diventare amici.

Summary of the story

Anselmo is a quiet, elderly gentleman who is looking for a little cool in the neighborhood beer garden during a hot summer day. His usual table is occupied and he sits down with a gentleman who slowly begins to speak to him, until he tells a story that is going to be familiar to Anselmo too. A long-forgotten memory suddenly resurfaces and allows two elderly gentlemen to become friends.

Vocabulary

- **calda:** hot
- **decidere:** decide
- **godere:** enjoy
- **abituale:** habitual
- **ordinare:** sort
- **caffè macchiato:** macchiato
- **bicchierino:** shot
- **acqua minerale:** mineral water
- **frizzante:** sparkling
- **bollicine:** bubbles
- **solleticare:** tickle
- **palato:** palate
- **tavolo :** table
- **occupato:** busy
- **assorto:** absorbed
- **sorseggiare:** sip
- **attorno:** about
- **purtroppo:** unfortunately
- **fresco:** fresh
- **piante:** plants
- **raggi:** rays
- **riscaldare:** heat up
- **ambiente:** environment
- **voglia:** wish
- **interno:** indoor
- **aria condizionata:** air conditioning

- **mese:** month
- **fastidio:** bother
- **scoraggiato:** downhearted
- **avvicinarsi:** approach
- **chiedere:** ask
- **accomodare:** accommodate
- **assieme:** together
- **spiegare:** explain
- **togliere:** remove
- **acconsentire:** consent
- **laconico:** laconic
- **chiacchierare:** chat
- **scocciatore:** nuisance
- **rivolgere:** address
- **estraneo:** stranger
- **bustina:** sugar packet / sachet
- **zucchero:** sugar
- **abbozzare**: give a hint of
- **porgere:** extend
- **sguardi:** looks
- **nessuno:** nobody
- **almeno:** at least
- **misterioso:** mysterious
- **spunto:** cue
- **eventuale:** possible
- **conversazione:** conversation
- **leggermente:** slightly

- **irritato:** annoyed
- **banale:** trivial
- **santa pace:** in peace
- **torrida:** scorching
- **scattare:** twitch
- **mente:** mind
- **convincere:** convince
- **noiosa:** boring
- **tono:** tone
- **fermo:** staunch
- **temperatura:** temperature
- **peggiore:** worse
- **episodio:** episode
- **sudare:** sweat
- **preoccupato :** worried
- **incuriosito:** curious
- **piega:** fold
- **scoprire:** discover
- **sbilanciarsi:** overbalance
- **epoca:** era
- **giovane:** young
- **studiare:** study
- **scuole superiori:** high school
- **famiglia:** family
- **benestante:** well-off
- **iniziare:** start
- **lavorare:** work
- **leva militare:** conscription
- **appoggiare:** support
- **tremare:** shake

- **solitamente:** usually
- **complicati:** complicated
- **malgrado:** despite
- **manifestazione:** demonstration
- **studentesca:** student
- **ingenuo:** naive
- **attardarsi:** linger
- **ritirata:** retreat
- **iniziare:** start
- **caricare:** attack
- **fazzoletto:** handkerchief
- **goccia:** drop
- **fronte:**front
- **cadere:** fall
- **replicare:** respond
- **nervoso:** nervous
- **invece:** instead
- **gesto:** gesture
- **considerato:** considered
- **nemici:** enemies
- **giurati:** sworn
- **gettare:** throw
- **coprire:** cover up
- **inferociti:** angry
- **botta:** blow
- **urlare:** scream
- **smettere:** stop
- **balbettare:** stutter
- **capire:** understand

- **rivolta:** uprising
- **moltitudine:** multitude
- **rabbia :** anger
- **fermarsi:** halt
- **graffio:** scratch
- **formulare:** formulate
- **senso compiuto:** full meaning
- **ringraziare:** thank
- **salvare:** save
- **vita:** life
- **incredulo:** incredulous
- **ricordare:** remember
- **rimuovere:** remove
- **spiacevole:** unpleasant
- **episodio:** episode
- **riesumare:** exhume
- **chiacchierata:** chat
- **offrire:** offer
- **sperare:** hope
- **scambiare:** exchange
- **coetaneo:** peer
- **sorriso:** smile
- **rivivere:** relive
- **uomini:** men

Questions about the story

1. **Qual è il motivo per cui il signor Anselmo va al bar ?**

   a) Per bere un caffè macchiato

   b) Per incontrare un suo vecchio amico

   c) Per stare al fresco all'ombra delle piante

2. **Perché si siede a un tavolo occupato da un altro signore?**

   a) Perché è il tavolo più vicino all'entrata

   b) Perché arriva il fresco dell'aria condizionata

   c) Perché ha voglia di fare una bella chiacchierata

   d) Perché non ci sono altri posti liberi

3. **Cosa chiede Anselmo al signore?**

   a) Di poter leggere il suo giornale, una volta finito

   b) Un po' della sua acqua frizzante

   c) Di poter stendere le gambe sulla sedia

   d) Di passargli una bustina di zucchero

4. **Come cerca di rompere il ghiaccio l'altro signore?**

   a) Parlando di sport

   b) Parlando del tempo

   c) Parlando di politica

   d) Chiedendo ad Anselmo il suo nome

5. **Cosa stava facendo il signore quando ha incontrato Anselmo la prima volta?**

   a) Studiava filosofia all'università

   b) Protestava assieme agli altri studenti

   c) Stava facendo la leva militare da carabiniere

   d) Stava andando a passeggio con la sua ragazza

Answers

1) C
2) D
3) D
4) B
5) C

Chapter 5

IL COLORE PERFETTO

Maria è una **giovane** pittrice che vorrebbe tanto **entrare** alla **prestigiosa** Accademia delle Belle Arti della sua città, ma sa che l'esame di **ammissione** è davvero molto **difficile** e **teme** di **fallire**.

Purtroppo Maria è sempre stata una persona molto **timida** e **insicura** che prende le **cattive notizie** in **brutto** modo. I suoi amici lo sanno e **spesso** cercano di **evitare** di parlarle di **determinate** cose per non vedere nei suoi **occhi** la **tristezza**.

Maria è **consapevole** di questo suo **difetto** e sta davvero cercando di **migliorare** questo suo aspetto che anche lei inizia a **odiare**, poiché le ha **precluso** davvero tante **opportunità** durante tutta la sua **vita**.

A **infonderle** un po' di **coraggio** e di **fiducia** nella vita ci sono naturalmente i suoi amici e la sua famiglia, ma anche Ciliegia, un piccolo **gattino** con il **naso** così rosa che sembra appunto avere una bella **ciliegina** non ancora proprio matura, **sulla punta** di quel **musetto** davvero **irresistibile**.

Il piccolo Ciliegia, come tutti i gattini, è un vero **combinaguai** e ha **rotto** più **vasi** e **bicchieri** lui in poche settimane, che Maria in tutta la sua vita. D'altronde **inseguire** gli **insetti** sembra davvero una di quelle attività **irresistibili** per questo **bricconcello** dal pelo **morbido** e dai **teneri** occhioni.

Tra un **disastro** e l'altro, Maria tentava di **concentrarsi** al fine di riuscire a **completare** il suo progetto per l'ammissione in Accademia.

Avrebbe infatti dovuto **preparare** un **quadro** a sua scelta e aveva così **deciso** per lo **spledido** panorama che si riusciva ad **intravedere** dal suo **balcone**, quando il **cielo** era sgombro di **nuvole** e il sole si **rifletteva** su un piccolo **laghetto** artificiale.

Proprio in mezzo alla città, quella natura **rilassante**, riusciva a **donare** a Maria tutta la **pace** che le **serviva** per lavorare anche **durante** i giorni in cui l'**ispirazione** non era proprio così **semplice** da trovare.

I giorni passavano in **fretta** e in men che non si dicesse, la tanto **attesa** data dell'esame era alle porte. La **sera** prima, Maria decide di **prepararsi** una bella **tazza** di tè caldo e mettersi a letto, sperando di riuscire ad addormentarsi in fretta, così da essere **riposata** il giorno **successivo**.

Dopo brevissimo tempo, Maria **crolla** e inizia fare dei **sogni** un po' tormentati che **inevitabilmente** vedono lei **protagonista** di un esame **disastroso**.

Durante la notte però, il gattino birichino si **diverte** a **creare** un po' di **scompiglio** in casa. Mentre è alla ricerca di nuove **avventure**, Ciliegia combina un disastro con il quadro di Maria, versandoci sopra alcuni **preparati** di colore che lei aveva **inavvertitamente** lasciato alla portata della piccola **bestiola**.

Al mattino dopo, Maria si sveglia **sudata** e molto **preoccupata** per l'esame che avrebbe dovuto **sostenere** da lì a poche ore. Si alza e va in cucina a fare **colazione** e Ciliegia la **segue** per la sua razione mattutina.

Proprio in quel momento, Maria si accorge che **qualcosa** non va. Ciliegia è **multicolore**! Vede tracce di rosso sulle **zampe**, di verde sul musetto e di blu lungo la **coda**. "Ciliegia!" – esclama Maria con un **tono** misto per la preoccupazione e l'arrabbiatura.

Cosa fare? Si sta chiedendo. Oramai è troppo tardi per mettersi al lavoro e **cercare** di creare qualcosa di **nuovo,** e vedendo il quadro, Maria si **dispera,** perché tutto quello che aveva fatto fino a quel momento era stato **vanificato** da un gattino **pasticcione.**

Tuttavia, Maria non se la poteva davvero prendere con Ciliegia, perché è **semplicemente** troppo carino e nonostante il disastro, riesce come sempre a **strappare** un sorriso sul **volto** di Maria.

Un po' **amareggiata,** prende quello che resta della sua **idea** di dipinto e si dirige verso l'Accademia. Sale le scale e si **accomoda** su una delle panche all'esterno dell'aula all'interno della quale la **severa commissione** si prepara a giudicare le **opere** dei possibili nuovi studenti e studentesse.

Gli sguardi dei suoi **ipotetici** compagni di corso sono **inorriditi** di fronte a ciò che Maria tiene tra le mani. Soltanto una ragazza di nome Michela le si avvicina e le dice:"Accidenti, tu sì che ne hai di **fantasia.** Il tuo quadro è **stupendo!**"

Leggermente **rincuorata** da quel bel **commento,** Maria si alza di **scatto,** non appena sente che un membro della **commissione** pronuncia il suo nome e la invita ad entrare nell'aula dell'esame. Le **gambe** le tremano e Maria, **lentamente,** si **accomoda** sulla sedia di fronte alla commissione con il suo dipinto in mano, **girato** verso di lei.

"Buongiorno signorina, può per favore farci vedere l'opera che tiene **stretta** nelle sue mani?" chiede il presidente della commissione, notando il **nervosismo** di Maria.

Maria pensa tra sé e sé "oramai è fatta, mi tocca proprio" e decide di girare il quadro verso la commissione, mantenendo gli occhi chiusi. Passano un **paio** di secondi, poi tre, quattro...nessun commento da parte di **nessuno** dei professori.

Allora timidamente Maria decide di aprire gli occhi per cercare di **capire** il **motivo** di quel **prolungato** silenzio. In quel momento vede tutti i professori **letteralmente** a bocca aperta, incapaci di pronunciare anche **soltanto** una piccola parola.

Dopo diversi **attimi**, il presidente dell'accademia le dice: "C-complimenti v-vivissimi, signorina Maria. Non abbiamo mai visto nulla di così **bello** prima d'ora. Saremmo davvero **lieti** di poterla **accogliere** nella nostra Accademia, sperando di poterle insegnare qualcosa!"

Maria, incredula, risponde timidamente "S-sì, c-certo" e si alza dalla sedia con le gambe che le tremano più di **prima**. Verso l'uscita incontra lo **sguardo** di Michela che le chiede come è andata. Maria **sorride** così tanto che Michela capisce subito.

Una volta uscita dall'Accademia, Maria tira un **forte** sospiro di **sollievo** e si precipita al **negozio** di animali, per comprare la più buona scatoletta di cibo per gatti che esista, per **premiare** quell'artista pasticcione del suo gatto Ciliegia.

Riassunto della Storia

Maria è una giovane pittrice che spera di poter accedere all'Accademia per poter migliorare la sua tecnica. L'esame di ammissione è però molto complicato e ha paura di fallire. La sera prima dell'esame finisce il quadro che deve presentare all'esame, ma purtroppo il suo gatto Ciliegia ci rovescia sopra i diversi colori che aveva preparato. Inaspettatamente però, il disastro è evitato, poiché Ciliegia riesce a creare un quadro che incanta la commissione e Maria viene accettata all'Accademia.

Summary of the story

Maria is a young painter hoping to get into the Academy to improve her technique. The entrance exam, however, is very complicated and she is afraid of failing. The evening before the exam, she finishes the painting that she must present for the exam, but unfortunately her cat Cherry spills paint all over the different colors she had created. Unexpectedly, however, the disaster is avoided, as Cherry manages to create a picture that enchants the committee and Maria is accepted into the Academy.

Vocabulary

- **giovane:** young
- **entrare:** enter
- **prestigiosa:** prestigious
- **ammissione:** admission
- **difficile:** difficult
- **temere:** to fear
- **fallire:** to fail
- **purtroppo:** unfortunately
- **timida:** shy
- **insicura:** insecure
- **cattive notizie:** bad news
- **brutto:** bad
- **spesso:** often
- **evitare:** avoid
- **determinate:** certain
- **tristezza:** sadness
- **occhi:** eyes
- **consapevole:** aware
- **difetto:** flaw
- **migliorare:** improve
- **odiare:** hate
- **precluso:** precluded
- **opportunità:** opportunity
- **vita:** life
- **infondere:** instill
- **coraggio:** bravery
- **fiducia:** trust
- **gattino:** kitten
- **naso:** nose
- **ciliegina:** little cherry
- **punta:** tip
- **musetto:** pretty little face
- **irresistibile:** irresistible
- **combinaguai:** hell-raiser
- **rotto:** broken
- **vaso:** vase
- **bicchieri:** glasses
- **inseguire:** chase
- **insetti:** insects
- **irresistibili:** irresistible
- **bricconcello:** tearaway
- **morbido:** soft
- **teneri:** tender
- **disastro:** disaster
- **concentrarsi:** focus
- **completare:** complete
- **preparare:** prepare
- **quadro:** painting
- **decidere:** decide
- **splendido:** splendid
- **intravedere:** glimpse
- **balcone:** balcony
- **cielo:** sky
- **nuvole:** clouds
- **riflettere:** reflect
- **laghetto:** little lake

- **rilassante:** relaxing
- **donare:** give
- **pace:** peace
- **servire:** need
- **durante:** while
- **ispirazione:** flair
- **semplice:** easy
- **fretta:** haste
- **attesa:** wait
- **sera:** evening
- **preparare:** prepare
- **tazza:** cup
- **riposata:** rested
- **successivo:** following
- **crollare:** collapse
- **sogni:** dreams
- **inevitabilmente:** inevitably
- **protagonista:** protagonist
- **disastroso:** disastrous
- **divertire:** amuse
- **creare:** create
- **scompiglio:** confusion
- **avventure:** adventures
- **preparati:** prepared
- **inavvertitamente:** accidentally
- **bestiola:** little beast
- **sudata:** sweat
- **preoccupata:** worried
- **sostenere:** support

- **colazione:** breakfast
- **seguire:** follow
- **qualcosa:** something
- **multicolore:** multicolor
- **zampe:** paws
- **coda:** tail
- **tono:** tone
- **cercare:** search
- **nuovo:** new
- **dispera:** despair
- **vanificare:** frustrate
- **pasticcione:** bungler
- **semplicemente:** easily
- **strappare:** tear
- **volto:** face
- **amareggiata:** embittered
- **idea:** idea
- **accomodare:** settle in
- **severa:** severe
- **commissione:** commission
- **opera:** work
- **ipotetico:** hyphotetical
- **inorriditi:** horrified
- **fantasia:** fantasy
- **stupendo:** wonderful
- **rincuorata:** reassured
- **commento:** comment
- **scatto:** twitch
- **gambe:** legs
- **lentamente:** slowly

- **accomodarsi:** sit down
- **girato:** turned
- **stretta:** narrow
- **nervosismo:** irritability
- **paio:** pair
- **nessuno:** nobody
- **capire:** understand
- **motivo:** reason
- **prolungato:** extended
- **letteralmente:** literally
- **soltanto:** only
- **attimi:** moments
- **bello:** nice
- **lieti:** happy
- **accogliere:** receive
- **prima:** before
- **sguardo:** look
- **sorridere:** smile
- **forte:** strong
- **sollievo:** relief
- **negozio:** shop
- **premiare:** reward

Questions about the story

1. Dov'è che Maria vorrebbe continuare i suoi studi di pittura?

a) A scuola

b) In Accademia

c) Da un pittore famoso

2. Come si chiama il gatto di Maria?

a) Amelia

b) Lucia

c) Ciliegia

d) Prugna

3. Cosa decide di dipingere Maria?

a) Il suo gatto

b) Il panorama che vede dal suo balcone

c) Un cesto di frutta

d) Una giovane donna al lago

4. Cosa succede la sera prima dell'esame?

a) Il suo gatto rovescia del colore sul quadro

b) Il suo gatto graffia il quadro

c) Decide di distruggere il quadro

5. La commissione d'esame come valuta il quadro di Maria?

a) Ritiene che il quadro sia brutto

b) Ritiene il quadro un capolavoro

c) Pensa che sia il caso di riprovare l'anno prossimo

Answers

1) B
2) C
3) B
4) A
5) B

Chapter 6

ALESSIO E LA MATEMATICA

Alessio vive a Roma ed è un ragazzo che frequenta il quarto anno del **liceo classico**. Alla fine della terza media, quando doveva scegliere la **scuola superiore**, scelse il liceo classico perché già allora amava **leggere**; inoltre, il fatto di poter studiare le **radici** della lingua italiana **attraverso** lo studio del **greco** e del **latino** lo avevano sempre affascinato.

Tuttavia, il liceo classico non è fatto solo di **letteratura** greca, latina e di quella italiana: c'è anche la **famigerata** matematica e, al terzo anno, si aggiunge anche la tanto **temuta fisica**.

Esattamente come la maggior parte degli studenti di discipline **umanistiche**, Alessio aveva una vera e propria **repulsione** per qualsiasi cosa contenente numeri. Inoltre, il fatto che nella matematica **si nascondano** le lettere dell'alfabeto greco faceva al ragazzo una grandissima rabbia.

Per lui era come un **inutile** tentativo della materia di **ingannarlo** per farsi amare. Nulla poteva far sì che il ragazzo iniziasse almeno ad **interessarsi** alla materia.

Tutto però cambiò a causa di un **avvenimento** che fece cambiare **radicalmente** l'approccio di Alessio verso la materia.

Venerdì pomeriggio. Alessio era appena tornato a casa, dopo una **lunga** giornata scolastica con un **orario** di materie terribili per lui: prime due ore di matematica, **ricreazione**, due ore di fisica e un'ora di **scienze**.

L'ora di scienze era ancora **sopportabile** per lui, ed era una vera e propria **manna dal cielo** in confronto a ciò che l'aveva **preceduta**.

Alessio era entrato in casa senza dire il **solito** "sono tornato"; sua madre e suo padre erano **entrambi** a lavoro. La mamma di Alessio, Lorenza, lavora come **commessa** al **supermercato**, mentre suo marito Andrea è un **avvocato** molto famoso.

Siccome non **aveva voglia** di prepararsi il pranzo, prese il cellulare e **compose** il numero della pizzeria più vicina.

Ancora oggi, Alessio **ordina** da loro quasi ogni venerdì: non perché non sappia **cucinare**, ma perché l'orario scolastico gli **risucchia** tutte le **energie** rimaste della settimana.

Dopo una ventina di minuti, la sua bella pizza Margherita era già sul tavolo **pronta** per essere mangiata. **Gustosa** come sempre: questa tipologia di pizza era ed è la preferita di Alessio. **Nonostante** la sua **semplicità**, riesce sempre a **soddisfarlo**.

Finita la pizza, era arrivato il momento di mettersi a studiare: Alessio non è mai stato uno a cui **dispiace** studiare, ma la materia che lo aspettava gli faceva venire voglia di **abbandonare** il liceo.

Le **equazioni** che la nuova professoressa aveva spiegato quella mattina stessa lo **aspettavano** sulla **scrivania**, **fissandolo**. Alessio fissava loro **a sua volta**. Alla fine si convinse: avrebbe provato **almeno** ad aprire il libro e a leggere la **consegna** dell'esercizio.

Si sedette e aprì il libro. Nonostante le buone **intenzioni**, Alessio passò solo una **decina** di secondi e decise che quella materia lo aveva già **stancato**. Passò quindi a studiare la lezione di **storia**, che terminò in tempo record.

Quando la materia lo **appassiona**, Alessio riesce a finire davvero **velocemente** e, soprattutto, **memorizza** tutto ciò che è necessario per **ottenere** un bel 9 all'**interrogazione**. **Ovviamente**, lo stesso non si può dire per la fisica e la matematica.

"Bene, ora che ho finito storia mi manca solo la **versione** di latino e dovrei aver finito", **annunciò** con **soddisfazione**. Poi, girò la testa verso sinistra e vide il libro di matematica. "Ah giusto, ci sei anche tu". **Sbuffò** rumorosamente.

Per il momento, Alessio decise di svolgere la versione del testo di Cicerone. Era un testo molto **complesso**, ma il ragazzo riuscì a **venirne a capo** dopo all'incirca un'ora. Guardò l'**orologio**. Erano solo le cinque del pomeriggio.

Se si fosse impegnato, sarebbe riuscito a finire le equazioni prima di cena. Se non fosse riuscito, avrebbe comunque avuto tutto il fine settimana per svolgerle. "Farò prima una **pausa**, ci vogliono energie e la **mente fresca** per questa materia."

Quindi, si alzò dalla scrivania e andò in cucina a prepararsi un **panino** al **salame**. Dopodiché, prese il telefono per **controllare** se, mentre studiava, gli erano arrivati **messaggi**. Ovviamente, non gli era arrivato nulla.

Tutti i suoi amici, che erano anche suoi compagni di classe, stavano **evidentemente** svolgendo i compiti di matematica. Alcuni di loro, invece, si preparavano per l'interrogazione di **filosofia** del lunedì.

Finito il panino, Alessio tornò nuovamente alla scrivania e, più deciso che mai, si mise a fare le equazioni. Erano dieci, tutte **di secondo grado**. Sapeva che le avrebbe **sbagliate** tutte, ma decise di **provare** comunque.

Contro ogni previsione, alle sei e quaranta aveva già terminato, ed erano tutte giuste. Il tempo era volato, e doveva ammettere che... **si era divertito**.

Alessio **provava** una **strana** sensazione, perché non gli era mai successo di divertirsi con quella materia **diabolica**. Tuttavia, ne capì subito il perché. Quel venerdì non c'era stato il **solito** professore, **bensì** una professoressa venuta a **sostituirlo** perché **malato**.

La **spiegazione** di quella professoressa l'aveva davvero **stregato**, e gli aveva fatto capire quasi **immediatamente** l'argomento. Alessio era davvero felice: forse aveva superato **una volta per tutte** la repulsione per la matematica!

Dopo una ventina di minuti, arrivò un messaggio sul gruppo di matematica della classe in cui c'era anche, **per l'appunto**, la professoressa **in questione**. Il messaggio **sconvolse** Alessio: la professoressa non sarebbe più tornata perché il professore era **guarito**.

Il ragazzo le scrisse **subito** un messaggio privato, **pregandola** di continuare ad aiutarlo con la materia perché lei era l'unica **capace di** fargliela amare.

La professoressa fu costretta**, a malincuore**, a rifiutare: era molto **impegnata** e non avrebbe avuto il tempo di aiutare Alessio.

Il ragazzo fu molto **triste** della risposta, ma **capì** una cosa molto importante. Lui non odiava la materia, ma pensava di odiarla perché non riusciva a capirla bene. Quando il ragazzo pensava a quel venerdì pomeriggio, gli veniva da **sorridere** perché era uno dei pochi **fortunati** a essersi divertito con le equazioni.

Da quel momento in poi, Alessio decise che avrebbe studiato matematica e fisica con la stessa passione che **riservava** alle altre materie. Dopo un mese, questo cambiamento **aveva già dato i suoi frutti.**

Non solo Alessio si divertiva a studiarle, ma i suoi voti **subirono** una vera e propria **impennata**: quando si dice "**unire l'utile al dilettevole**"!

Riassunto della storia

Alessio è un ragazzo che frequenta il liceo classico e, fino a poco tempo fa, odiava fisica e matematica. Un pomeriggio, dopo aver studiato storia e finito la versione di latino, riesce a studiare matematica in un tempo record dopo aver seguito la lezione della nuova professoressa. Alessio capisce quindi di aver sempre odiato la materia solo perché non riusciva a capirla.

Summary of the story

Alessio is a classical high school student who some time ago used to hate both mathematics and physics. One afternoon, after having studied history and after having finished the Latin translation, he was able to study mathematics in a very short time thanks to the new teacher's lesson. Alessio realizes he had always hated mathematics only because he could not understand it.

Vocabulary

- **liceo classico:** classical lyceum
- **scuola superiore:** high school
- **leggere:** to read
- **radici:** roots
- **attraverso:** through
- **Greco:** Greek
- **Latino:** Latin
- **letteratura:** literature
- **famigerato:** renowned
- **temuto:** feared
- **fisica:** physics
- **umanistico:** humanistic
- **repulsione:** repulsion
- **nascondere:** to hide
- **inutile:** useless
- **ingannare:** to deceive
- **interessarsi:** to become interested in
- **avvenimento:** event
- **radicalmente:** radically
- **lungo:** long
- **orario:** school time
- **ricreazione:** recreation
- **scienze:** science
- **sopportabile:** bearable
- **manna dal cielo:** godsend
- **precedere:** to precede
- **solito:** usual
- **entrambi:** both
- **commesso:** sales assistant
- **supermercato:** supermarket
- **avvocato:** lawyer
- **avere voglia:** to want to
- **comporre:** to compose
- **ordinare:** to order
- **cucinare:** to cook
- **risucchiare:** to suck down
- **energia:** energy
- **pronto:** ready
- **gustoso:** tasty
- **nonostante:** despite
- **semplicità:** simplicity
- **soddisfare:** to satisfy
- **dispiacere:** to dislike
- **abbandonare:** to quit
- **equazione:** equation
- **aspettare:** to wait for
- **scrivania:** desk
- **fissare:** to stare at
- **a sua volta:** in turn
- **almeno:** at least
- **consegna:** instructions
- **intenzione:** intention
- **decina:** ten

- **stancarsi:** to get tired
- **storia:** history
- **appassionare:** to be passionate of
- **velocemente:** quickly
- **memorizzare:** to memorize
- **ottenere:** to get
- **interrogazione:** oral exam
- **ovviamente:** obviously
- **versione:** translation
- **annunciare:** to announce
- **soddisfazione:** satisfaction
- **sbuffare:** to snort
- **complesso:** complex
- **venire a capo:** to figure something out
- **orologio:** clock
- **pausa:** pause
- **mente fresca:** clear mind
- **panino:** sandwich
- **salame:** salami
- **controllare:** to check
- **messaggio:** message
- **evidentemente:** clearly
- **filosofia:** philosophy
- **di secondo grado:** quadratic equation
- **sbagliare:** to make a mistake
- **provare:** to try
- **contro:** against
- **divertirsi:** to have fun
- **provare:** to feel
- **strano:** strange
- **diabolico:** wicked
- **solito:** usual
- **bensì:** but
- **sostituire:** to replace
- **malato:** ill
- **spiegazione:** explanation
- **stregare:** to bewitch
- **immediatamente:** immediately
- **una volta per tutte:** once for all
- **per l'appunto:** precisely
- **in questione:** concerned
- **sconvolgere:** to shock
- **guarire:** to recover
- **subito:** right away
- **pregare:** to beg
- **capace di:** to be capable of
- **a malincuore:** regretfully
- **impegnato:** busy
- **triste:** sad
- **capire:** to realize
- **sorridere:** to smile
- **fortunato:** lucky
- **riservare:** to set aside
- **dare i frutti:** to give the results

- **subire:** to go through
- **impennata:** hike
- **unire l'utile al dilettevole:** to combine business with pleasure

Questions about the story

1. **Che scuola frequenta Alessio?**

   a) Liceo artistico

   b) Liceo classico

   c) Liceo scientifico

   d) Liceo linguistico

2. **Cosa mangia a pranzo Alessio quel venerdì pomeriggio?**

   a) Un panino al salame

   b) Pasta al pomodoro

   c) Insalata

   d) Pizza

3. **Che materia studia Lorenzo subito dopo matematica?**

   a) Storia

   b) Latino

   c) Greco

   d) Fisica

4. **Come mai Alessio si diverte nel fare i compiti di matematica?**

   a) Perché ha studiato meglio

   b) Perché la spiegazione gli ha permesso di capire l'argomento

   c) Perché il panino gli ha dato le energie necessarie

   d) Perché ascolta musica durante lo svolgimento dei compiti

5. **Cosa succede quando Alessio decide di studiare matematica e fisica con lo stesso impegno delle altre materie?**

   a) I voti rimangono uguali

   b) I voti peggiorano

   c) I voti migliorano

   d) Non succede nulla

Answers

1) B
2) D
3) A
4) B
5) C

Chapter 7

ALLA RICERCA DI BUCKY

Matteo era un **bambino** di otto anni. Viveva con i suoi **genitori**, mamma Carla e papà Giovanni, e con il suo **cagnolino** Bucky.

Bucky era un cane di **taglia media**, **vivace** e **spiritoso**; forse per questo si divertiva a fare i **dispetti** al suo giovane padrone. Una volta, ad esempio, mentre Matteo dormiva, Bucky era entrato in camera sua ed aveva **graffiato** tutto il **tappeto** che si trovava ai piedi del letto.

Matteo voleva molto bene a Bucky: i due erano **pressoché** inseparabili, e trascorrevano insieme tantissimo tempo. Ogni mattina che Carla portava Matteo a scuola, Bucky gli **leccava** tutte le **scarpe** e, quando il bambino usciva di casa e saliva in **macchina**, Bucky si affacciava alla finestra per guardarlo allontanarsi.

Verso le due del pomeriggio, quando Matteo tornava a casa, Bucky faceva dei veri e propri **salti di gioia**; non contento, leccava la faccia del suo piccolo padrone, e gli **tirava** la **maglietta** perché andasse subito a **giocare** con lui.

Ogni **pomeriggio**, dopo che Matteo aveva **terminato** i compiti, lui, Bucky e Carla si recavano al **parco comunale** per passare il pomeriggio **all'insegna del** divertimento e dell'**aria fresca**.

Matteo non amava molto la compagnia degli altri bambini quando era con Bucky; era un bambino molto **socievole**, ma preferiva di gran lunga **trascorrere** tutto il suo tempo libero con il suo cagnolino **preferito**.

Un giorno, Matteo, Bucky e Carla erano andati, esattamente come ogni pomeriggio, al parco. Bucky non indossava quasi mai il **guinzaglio**: era un cane **straordinariamente ubbidiente** e, soprattutto, molto amichevole con gli sconosciuti. Se qualche **malintenzionato** avesse voluto rapire Bucky, sarebbe stato **un gioco da ragazzi**!

Carla sedeva su una **panchina** poco lontana da Matteo, che aveva Bucky affianco. "Allora Bucky, adesso prendo questo **bastoncino** e te lo **lancio**. Tu andrai a prenderlo e me lo **riporterai**. Va bene?" Bucky rispose con un "ouf" **affermativo**: sembrava che i due stessero parlando e che, **incredibilmente**, riuscissero a capirsi.

"Matteo, tesoro, cerca di lanciare quel bastoncino lontano dagli alberi che **delimitano** il parco. Bucky potrebbe farsi male se finisse lì. Potrebbe uscire sulla **strada** e qualche macchina potrebbe **investirlo**", **ammonì** Carla.

Erano **diversi** anni che Bucky faceva parte della famiglia, e né lei, né Matteo né Giovanni avrebbero mai permesso che il cagnolino **si potesse far male**.

"Va bene mamma, stai tranquilla", rispose Matteo. Subito dopo, lanciò il bastoncino e Bucky si mise subito a **correre** per riportarglielo. Dopo pochi **secondi**, Bucky era già di ritorno. **Posò** il bastoncino ai piedi di Matteo ed **abbaiò** come se volesse dirgli "Lancia ancora!" Il cagnolino **scodinzolava** in maniera davvero vivace.

"Vuoi che te lo lanci **ancora**, vero?" **chiese** Matteo al suo cagnolino: **forse**, il bambino capiva davvero ciò che Bucky voleva dirgli.

Matteo lanciò il bastoncino nuovamente e, esattamente come aveva fatto poco prima, Bucky si mise a correre come un **fulmine** e, in pochi istanti, prese il **ramoscello** e lo riportò a Matteo.

"Adesso giochiamo ad altro, Bucky. Che ne dici di **costruire** un **castello** nel recinto di **sabbia**? Chiese Matteo a Bucky, che rispose nuovamente con un **abbaio** affermativo. Matteo e Bucky, seguiti da Carla, si diressero verso il recinto di sabbia e Matteo tirò fuori la **paletta** ed il **secchiello** che si era portato da casa.

"Mamma, ti andrebbe di aiutarci?" chiese Matteo a Carla. "Certo tesoro!", rispose Carla con un grande **sorriso**; amava quando suo figlio le chiedeva di **partecipare** ai suoi giochi.

"Matteo, perché non facciamo una **grande** torre centrale e due torri più **piccole** ai lati. **Raccogliamo** la sabbia", disse Carla a Matteo, che di risposta disse "Sì, mamma. Facciamo come dici tu."

Dopo pochi **minuti**, il castello aveva iniziato a prendere forma. Matteo si girò e disse "Bucky, vieni a vedere! Ti piace?" Ma di Bucky non c'era nessuna **traccia**.

"Mamma, Bucky non c'è più!" **urlò** Matteo a Carla, che era ancora vicino a lui. Carla diventò subito **pallida**. "Dobbiamo cercarlo, potrebbe essere uscito in strada. Come ti ho detto, c'è il rischio che le macchine lo investano."

Matteo e Carla si misero subito a **perlustrare** tutto il parco alla ricerca del cagnolino **scomparso**. Entrambi chiamavano **a gran voce** il suo nome: se li avesse sentiti, Bucky sarebbe tornato **in men che non si dica**.

Carla andò subito a **controllare** in mezzo agli alberi che delimitavano il parco: controllò i **cespugli** mentre continuava a chiamare Bucky, ma di lui non c'era nessuna traccia.

Intanto, Matteo controllava l'area giochi, dove c'erano **scivoli** e **altalene**. Magari, qualche bambino cattivo aveva cercato di attirare Bucky per portarlo con sé. Matteo gliel'avrebbe **impedito**: Bucky era il suo amico più **prezioso**.

Dopo vari minuti di ricerca, Matteo e Carla **si ritrovarono** al **centro** del parco per **fare il punto della situazione**. "Mamma, non ho trovato Bucky. Tu hai trovato qualcosa?" Matteo aveva **il cuore in gola**, le **lacrime** iniziavano a scendergli dagli **occhi**.

"Neanche io l'ho trovato, tesoro. Continuiamo a cercare. Bucky non si è mai allontanato per tanto tempo, vedrai che tra poco tornerà da noi.", disse Carla **abbracciando** forte Matteo.

"Carla, Matteo, finalmente vi ho trovati!" madre e figlio si sentirono **chiamare** in lontananza. Si girarono e, con grande sorpresa, videro Giovanni con **in braccio** Bucky. Il cagnolino si fece subito mettere giù e corse verso Matteo per leccargli le lacrime dal viso.

Giovanni disse "Volevo venire al parco per **farvi una sorpresa** visto che so che venite qui ogni pomeriggio. Prima che potessi trovarvi, è stato Bucky a trovare me." Bucky, infatti, aveva sentito l'**odore** di papà Giovanni e si era allontanato per corrergli incontro.

Siccome Carla e Matteo si erano separati durante la ricerca del cagnolino, Giovanni non era riuscito a trovarli fino a quel momento. Da quel momento Matteo si sentì molto **sollevato**: non era successo nulla di brutto al suo migliore amico.

Quell'**episodio** servì a Carla e Matteo da lezione: meglio avere sempre con sé un guinzaglio. Potrebbe tornare utile quando si fanno attività in cui si è **distratti**. Ancora meglio sarebbe un **collare** con un **campanello**: permette di **rintracciare** il cane in maniera molto più facile e veloce.

Riassunto della storia

Matteo, un bambino di otto anni, possiede un cagnolino di nome Bucky a cui è molto legato. Come ogni pomeriggio, vanno al parco insieme a Carla, la mamma di Matteo. Mentre Carla e Matteo stanno costruendo un castello di sabbia, Bucky si allontana senza che i due se ne accorgano. Inizia quindi una ricerca, con Matteo e Carla che controllano due zone differenti del parco. Alla fine, scopriranno che Bucky era stato attirato da qualcuno che li aveva raggiunti al parco, il papà Giovanni.

Summary of the story

Matteo is an 8-year-old kid who owns a little dog named Bucky. He loves him a lot. Every afternoon, they go to the city park with Carla, Matteo's mom. While Carla and Matteo are building a sand castle, Bucky runs away without Carla and Matteo noticing it. Matteo and Carla start looking for Bucky, checking two different parts of the park. In the end, they will discover that Bucky had been lured by someone that had arrived in the park, daddy Giovanni.

Vocabulary

- **bambino:** kid
- **genitori:** parents
- **cagnolino:** little dog
- **taglia media:** medium-sized dog
- **vivace:** lively
- **spiritoso:** funny
- **dispetto:** prank
- **graffiare:** to scratch
- **tappeto:** carpet
- **pressoché:** nearly
- **leccare:** to lick
- **scarpe:** shoes
- **macchina:** car
- **salti di gioia:** to jump for joy
- **tirare:** to stretch
- **maglietta:** shirt
- **giocare:** to play
- **pomeriggio:** afternoon
- **terminare:** to finish
- **parco comunale:** city park
- **all'insegna di:** in the spirit of
- **aria fresca:** fresh air
- **socievole:** friendly
- **trascorrere:** to spend
- **preferito:** favorite
- **guinzaglio:** leash
- **straordinariamente:** extraordinarily
- **ubbidiente:** obedient
- **malintenzionato:** ill-intentioned
- **gioco da ragazzi:** kids play
- **panchina:** bench
- **bastoncino:** stick
- **lanciare:** to throw
- **riportare:** to bring back
- **affermativo:** affirmative
- **incredibilmente:** incredibly
- **delimitare:** to delimit
- **strada:** road
- **investire:** to hit
- **ammonire:** to warn
- **diverso:** many
- **farsi male:** to get hurt
- **correre:** to run
- **secondo:** second
- **posare:** to lay down
- **abbaiare:** to bark
- **scodinzolare:** to wag the tail
- **ancora:** again
- **chiedere:** to ask
- **forse:** maybe
- **fulmine:** lightning
- **ramoscello:** twig

- **costruire:** to build
- **castello:** castle
- **sabbia:** sand
- **abbaio:** bark
- **paletta:** small shovel
- **secchiello:** small bucket
- **sorriso:** smile
- **partecipare:** to join
- **grande:** big
- **piccolo:** small
- **raccogliere:** to gather
- **minuto:** minute
- **traccia:** trace
- **urlare:** to shout
- **pallido:** pale
- **perlustrare:** to examine
- **scomparso:** disappeared
- **a gran voce:** out loud
- **in men che non si dica:** in no time
- **controllare:** to check
- **cespuglio:** bush
- **scivolo:** slide
- **altalena:** seesaw

- **impedire:** to impede
- **prezioso:** important
- **ritrovarsi:** to meet
- **centro:** center
- **fare il punto della situazione:** take stock of the situation
- **il cuore in gola:** heart in the throat
- **lacrima:** tear
- **occhio:** eye
- **abbracciare:** to hug
- **chiamare:** to call out
- **in braccio:** to embrace
- **fare una sorpresa:** to surprise
- **odore:** smell
- **sollevato:** relieved
- **episodio:** event
- **distratto:** distracted
- **collare:** collar
- **campanello:** bell
- **rintracciare:** to track down

Questions about the story

1. **Quando Matteo va a scuola la mattina, cosa fa Bucky?**

   a) Va a svegliarlo e gli lecca la faccia

   b) Gli porta la colazione a letto

   c) Si affaccia alla finestra e lo guarda allontanarsi in macchina

   d) Sale in macchina e gli sta accanto per tutto il tragitto

2. **Quanto spesso Matteo e Bucky vanno al parco?**

   a) Ogni pomeriggio

   b) Una volta alla settimana

   c) Una volta al mese

   d) Ogni mattina

3. **Cosa stavano facendo Carla e Matteo quando Bucky scompare?**

   a) Stavano giocando a calcio

   b) Stavano costruendo un castello di sabbia

   c) Erano sullo scivolo

   d) Erano seduti sulla panchina

4. **Durante la ricerca di Bucky, dove va a controllare Matteo?**

   a) In mezzo agli alberi

   b) Al centro del parco

   c) Nella piscina di sabbia

   d) Nell'area giochi

5. **Chi aveva attirato l'attenzione di Bucky, facendolo allontanare da Matteo e Carla?**

   a) Maria

   b) Giacomo

   c) Giovanni

   d) Carla

Answers

1) C
2) A
3) B
4) D
5) C

Chapter 8

GIANNA, ASPIRANTE CUOCA

Tanto tempo fa, conoscevo una **ragazza** di nome Gianna. Gianna era una ragazza che era da poco andata a vivere da sola. Era riuscita a laurearsi e a trovare un lavoro che le permetteva di pagarsi l'**affitto** e di poter vivere **egregiamente**.

Tuttavia, c'era un grosso **problema**: Gianna era una pessima cuoca! Quando abitava con i suoi genitori, era sua madre Luisa a prepararle tutti i **pasti**.

Quando Gianna cercava di aiutare, tutto ciò che toccava veniva come colpito da un **incantesimo**: ad esempio, quando provava a preparare l' impasto una torta, questa veniva **salata**, dura o addirittura rimaneva cruda.

Gianna sembrava avere un vero **talento** nel **rovinare** il cibo, tanto che, dopo molti tentativi falliti, decise di **rinunciare**.

Quando andò a vivere da sola, però, il problema si era ripresentato. Inizialmente, Gianna cercò di imparare a cucinare iniziando da ricette **semplici** come la pasta al pomodoro.

Dopo aver visto la pasta andare a fuoco ed il pomodoro **carbonizzato**, provò a ripiegare su **cotolette** e sui vari cibi surgelati reperibili al **supermercato**. Furono un vero **fallimento** anche questi: pur seguendo alla lettera quanto detto sulla confezione, i prodotti, una volta cotti, erano davvero **immangiabili**.

Quindi, Gianna decise che avrebbe ordinato ogni giorno piatti pronti da un ristorante vicino casa sua. Il cibo era **squisito** e lei era davvero **soddisfatta**.

Tuttavia, il peso di quella scelta iniziò a farsi sentire. Non solo Gianna realizzò che stava **spendendo** tantissimi soldi, ma vide anche che stava **ingrassando** a dismisura.

C'erano infatti vari problemi in quello stile di vita. Il cibo ordinato era buonissimo, ma era anche abbastanza **costoso**: anche se il prezzo del **pranzo** era di cinque euro e quello della **cena** di sette euro, Gianna finiva per spendere dodici euro al giorno. Moltiplicati per trenta giorni, fanno 360 euro.

Spendendo Gianna più di 300 euro al mese per il cibo, era dura per lei mettere soldi da parte.

Era vero che la ragazza non andava a **fare la spesa,** ma era comunque una cifra considerevole se si contavano anche i soldi per la **colazione** (che veniva fatta ogni mattina al bar) e per il caffè con i **colleghi**. Oltretutto, andava pagato anche l'affitto.

Come se non bastasse, Gianna era ingrassata moltissimo: era sempre stata una ragazza di costituzione normale ma, da quando aveva iniziato a mangiare ogni giorno il cibo del ristorante, aveva preso venti chili in soli tre mesi.

Il cibo ordinato era gustosissimo e proprio quel **gusto** spingeva la ragazza ad **abbuffarsi** e a mangiarne il più possibile; alcune volte, inoltre, ordinava patatine fritte, hamburger, hot dog, tutti alimenti non proprio **salutari**.

Vedendo che il suo **conto in banca** si svuotava e che, al contrario, i numeri sulla **bilancia** aumentavano, Gianna decise che doveva assolutamente imparare a cucinare. Provò nuovamente da sola ma alla fine decise di chiedere l'aiuto di sua madre, che era un'ottima cuoca.

Quindi, iniziò a **videochiamare** sua madre mentre cucinava per farsi spiegare tutti i passaggi: successero comunque dei **disastri**, ma le cose sembravano andare **leggermente** meglio rispetto ai primi tentativi.

Ad esempio, una sera, Gianna volle **cimentarsi** con la preparazione degli spaghetti alle **vongole**: è una ricetta abbastanza semplice, ma non così scontata per i **principianti** come Gianna.

L'aspetto positivo fu che la ragazza non fece bruciare sia la pasta che le vongole, ma solo quest'ultime. La pasta era un po' troppo cotta, ma era comunque **commestibile**.

Fortunatamente per lei, Gianna non aveva comprato le vongole fresche, bensì uno dei famosi **preparati** da buttare direttamente in padella.

Sapendo infatti che avrebbe rovinato tutto, Gianna aveva voluto lasciare le vongole fresche, solitamente di qualità superiore, a coloro che sapevano cucinare: non voleva privarli di un prodotto di qualità migliore sapendo che lei non sarebbe riuscita a **valorizzarlo**.

Passarono le settimane, ma Gianna proprio non riusciva a preparare nulla di buono. Una sera, siccome stava morendo di fame, dovette ordinare una pizza dal solito ristorante. Mentre **si deprimeva** mangiando la pizza, che era squisita, le venne un **lampo di genio**.

Era vero che aveva provato ad imparare a cucinare almeno un milione di volte, ma forse lo stava facendo in un modo **sbagliato**. Nonostante i suoi fallimenti, Gianna non si era mai **demoralizzata** a tal punto di smettere di provare.

Quindi la **soluzione** le sembrava chiara: doveva frequentare un **corso di cucina**. In quel modo, non solo avrebbe imparato a cucinare, ma avrebbe iniziato a mangiare in modo salutare, sarebbe potuta dimagrire e chissà, magari avrebbe anche potuto **organizzare** una cena tra amici.

Una volta finita la pizza, Gianna accese il computer ed iniziò a **navigare** in Internet alla ricerca di un corso di cucina vicino casa sua. Dopo mezzora di ricerca, riuscì a trovarne uno a cinque minuti a piedi dal suo posto di lavoro.

Era la scelta **migliore** perché c'erano corsi ad ogni ora, quindi Gianna poteva andarci comodamente dopo il lavoro.

La ragazza aveva deciso che, per le prime sere, avrebbe ancora **fatto affidamento** sul cibo del ristorante. Dopotutto, doveva **imparare** le basi!

La prima lezione del corso, infatti, era basata sugli **utensili** da utilizzare in cucina e sulle principali spezie ed **erbe aromatiche** utilizzate nella cucina italiana, come **salvia**, **prezzemolo**, **basilico**, **peperoncino** e **pepe**.

Già alla seconda lezione, l'insegnante mostrò ai ragazzi come si cuoce la pasta: si tratta del cibo italiano per eccellenza, quindi ogni italiano dovrebbe saperla cuocere alla perfezione! In quella lezione, Giovanna capì perché quella volta la pasta le andò a fuoco mentre era ancora sul **fornello**.

Successivamente, spiegò loro come preparare il **sugo** per condirla, che è un altro **pilastro** della cucina italiana. Spiegò loro che il sugo non deve essere troppo **aspro** e, soprattutto, non troppo **asciutto**.

Al ritorno dalla lezione, Gianna si fece subito un piatto di pasta al pomodoro. Cercò di mettere in pratica tutto ciò che l'insegnante aveva spiegato, e si impegnò tantissimo sia nella **preparazione** del sugo che nella **cottura** della pasta.

Ovviamente, si era preparata a chiamare i **vigili del fuoco** se ce ne fosse stato bisogno.

Quando mise la pasta nel piatto, vide che aveva un buon colore e che, soprattutto, non c'era puzza di bruciato. Successivamente, Gianna fece la prova dell'assaggio.

Con sua enorme sorpresa, la pasta era buona. Non era squisita come quella preparata a lezione o di sua mamma, ma era molto buona, ed invitava la ragazza a continuare a mangiare. Quella sera fu una vera e propria **conquista** per lei.

Gianna era davvero **orgogliosa** di se stessa, tanto che, per festeggiare l'occasione, inviò una foto del piatto di pasta a sua madre e ai suoi amici: tutti le risposero con messaggi pieni di **incredulità**, dicendo scherzosamente che era impossibile che fosse stata lei a cucinare.

Ogni lezione del corso era un insegnamento prezioso per Gianna e la ragazza si rendeva conto sempre di più di quanto ne fosse valsa la pena.

Gianna capì infatti che, **nonostante** i fallimenti, non bisogna **mollare** mai: prima o poi, l'occasione per imparare arriva per tutti.

Riassunto della storia

Gianna è da poco andata a vivere da sola. Non ha mai saputo cucinare e, nonostante abbia provato tantissime volte ad imparare, ha sempre fallito. Cominciò così a ordinare cibi pronti dal ristorante vicino ma, dopo aver capito che non poteva andare avanti in quel modo, decide di iscriversi ad un corso di cucina. Con incredibile sorpresa scoprì che, con un po' un valido aiuto e il giusto impegno, tutti possono imparare, anche a cucinare.

Summary of the story

Gianna has just moved to her new house, and she is living alone. She cannot cook despite the fact that she tries very hard, and every time is a failure. She has started ordering meals from the nearby restaurant but, after having understood she couldn't continue that way, she decides to attend a cooking course. She discovered that, with a little help and the right commitment, everyone can learn, even cooking.

Vocabulary

- **ragazza**: girl
- **affitto**: rent
- **egregiamente**: just fine
- **problema**: problem
- **pasto**: meal
- **incantesimo**: enchantment
- **salato**: salty
- **talento**: talent
- **rovinare**: to ruin
- **rinunciare**: to give up
- **semplice**: simple
- **carbonizzato**: to burn entirely
- **cotoletta**: cutlet
- **supermercato**: supermarket
- **fallimento**: failure
- **immangiabile**: uneatable
- **squisito**: delicious
- **soddisfatta**: satisfied
- **spendere**: to spend
- **ingrassare**: to become fat
- **costoso**: expensive
- **pranzo**: luch
- **cena**: dinner
- **fare la spesa**: to do the shopping
- **colazione**: breakfast
- **collega**: colleague
- **gusto**: taste
- **abbuffarsi**: to stuff oneself
- **salutare**: healthy
- **conto in banca**: bank account
- **bilancia**: scale
- **videochiamare**: to videocall
- **disastro**: disaster
- **leggermente**: slightly
- **cimentarsi**: to deal with
- **vongole**: clams
- **principiante**: beginner
- **commestibile**: edible
- **preparato**: preparation
- **valorizzare**: to give value
- **deprimersi**: to become depressed
- **lampo di genio**: stroke of genius
- **sbagliato**: wrong
- **demoralizzato**: to become demoralized
- **soluzione**: solution
- **corso di cucina**: cooking course
- **organizzare**: to organize
- **navigare**: to surf
- **migliore**: best

- **fare affidamento:** to rely on
- **imparare:** to learn
- **utensile:** utensil
- **erba aromatica:** aromatic herb
- **salvia:** sage
- **prezzemolo:** parsley
- **basilico:** basil
- **peperoncino:** chilli pepper
- **pepe:** pepper
- **fornello:** flame
- **sugo:** tomato sauce
- **pilastro:** pillar
- **aspro:** sour
- **asciutto:** dry
- **preparazione:** preparation
- **cottura:** cooking
- **vigili del fuoco:** firefighter
- **conquista:** achievement
- **orgoglioso:** proud
- **incredulità:** incredulity
- **nonostante:** despite
- **mollare:** to give up

Questions about the story

1. **Che lavoro fa Gianna?**

   a) La commessa in un supermercato

   b) L'agente immobiliare

   c) L'avvocato

   d) Non lo sappiamo

2. **Come si chiama la mamma di Gianna?**

   a) Luigia

   b) Lisa

   c) Luisa

   d) Ludovica

3. **Quando Gianna prova a preparare gli spaghetti con le vongole, cosa succede?**

   a) Brucia sia pasta sia vongole

   b) Brucia solo le vongole

   c) Brucia solo la pasta

   d) Il piatto viene perfetto

4. **Cosa decide di fare Gianna per imparare a cucinare una volta per tutte?**

   a) Si iscrive a un corso di pasticceria

   b) Si iscrive a un corso di alta moda

   c) Si iscrive a un corso di cucina

   d) Continua a provare mentre è in videochiamata con sua madre

5. **A cosa è dedicata la prima lezione del corso?**

   a) Alla cottura della pasta

   b) Alla spiegazione di utensili e spezie

   c) Alla presentazione dei vari allievi

   d) Allo studio della tradizione culinaria italiana

Answers

1) D
2) C
3) B
4) C
5) B

Chapter 9

IL MATRIMONIO DI LEA

Tanto tempo fa, non esistevano ancora le **nazioni** per come le conosciamo oggi. Esistevano solamente i **cosiddetti "Regni** del Sud", sui quali governava un re molto buono ma, allo stesso tempo, molto **autoritario**. Si chiamava Re Mervi.

Re Mervi era ormai **abbastanza** anziano: aveva quasi cinquant'anni che, per l'**epoca**, era un'età molto **avanzata**. Re Mervi aveva un'unica figlia femmina e, siccome per le **leggi** del tempo era impossibile lasciare il **trono** del regno a una donna, Re Mervi stava cercando qualcuno **degno** di **sposare** sua figlia Lea.

Lea aveva ventitré anni ed era una ragazza bella, **sensibile** e disposta a tutto per la **felicità** di suo padre.

Aveva molto a cuore il benessere e la **prosperità** del regno e dei suoi abitanti, quindi non era raro che uscisse dal **castello** o che invitasse qualche **suddito** per farsi raccontare ciò che succedeva ai **margini** del regno.

Re Mervi cercava un uomo più grande di sua figlia, ma non di troppi anni: la massima **età** consentita era quella di trenta anni. Tale decisione causò il **malcontento** di molti **abitanti** del regno ma, d'altronde, la volontà del re era la legge.

Tra le altre **caratteristiche**, il Re cercava anche un grande coraggio e una grande forza ma, soprattutto, un grande amore per sua figlia, che andava **ovviamente** dimostrato. Il Re credeva, infatti, che sulla faccia della Terra non potesse esistere sentimento più **puro**, grande e **potente** dell'amore.

Ovviamente, esso poteva essere anche portatore di sofferenza se non corrisposto ma, in caso contrario, era capace di dare una **gioia** immensa a chi lo provava.

Alla corte di Re Mervi si presentarono giovani da tutto il regno desiderosi della mano della bellissima principessa. Molti di loro era belli ma **vigliacchi**, altri ancora erano belli, coraggiosi ma **vanesi** e, altri ancora erano brutti, vigliacchi e vanesi.

Prima di prendere la decisione, Re Mervi chiedeva sempre il **parere** di sua figlia: del resto, doveva piacere principalmente a lei!

Un giorno, a corte si presentò Calvin, un giovane di ventotto anni, alto, muscoloso e piuttosto **affascinante**. Parlava in un modo molto **suadente** e sembrava aver convinto il Re.

Tuttavia, Lea non ne era stata **ammaliata**: a suo dire, Calvin possedeva una lingua biforcuta e sarebbe stato capace di **manipolare** sia lei sia Re Mervi con la sua **parlantina**. Per questo motivo, fu rifiutato e spedito a casa sua.

Un altro giorno ancora, fu la volta di Elias, un giovane di ventitré anni **mingherlino** che **affermava** di aver sconfitto un **drago** e che, per dimostrare di provare un amore puro per Lea, avrebbe portato la **testa** della **bestia** alla ragazza.

Lea non era per nulla **convinta** delle parole del giovane perché era quasi **sicura** che i draghi non esistessero.

Certa che il ragazzo fosse un **bugiardo** disposto a dire di tutto per raggiungere i suoi scopi, Lea decise di scartare anche questo **pretendente** perché, se il regno fosse stato in pericolo, Elias avrebbe potuto **aggravare** la situazione con le sue parole.

In pochi mesi, Re Mervi e Lea avevano **scartato** all'incirca centoventi pretendenti. Nessuno di loro sembrava convincere appieno la ragazza.

Lea iniziava a chiedersi se non fosse troppo **esigente**: davvero non esisteva nessuno che riuscisse a convincerla?

Un giorno, a **corte** si presentò Jacob. Era un ragazzo di venticinque anni, di buona famiglia, non eccessivamente ricco e di **animo** apparentemente buono. Mentre parlava con il Re e sua figlia, aveva una voce **tremolante, indice** di una fortissima emozione.

A Lea sembrava piacere Jacob. Quando gli chiese di dimostrarle il suo amore, il ragazzo tirò fuori una **rosa**. Affermò che, pensando alla **delicatezza** e alla bellezza di Lea, l'aveva raccolta in un **prato** mentre era in viaggio verso il castello.

Lea rimase un po' **sconcertata**: la rosa era senz'altro bella e le piaceva molto, ma si aspettava un pochino di più. Non sapeva esattamente cosa aspettarsi, ma una rosa le sembrò **scontata**.

Per la prima volta, Lea disse ad uno dei suoi pretendenti che ci avrebbe pensato. Il Re rimase **sbalordito**: sua figlia non si era **fatta scrupoli** a mandare via centinaia di ragazzi e, per la prima volta, sembrava che uno di loro le fosse simpatico.

Passarono alcuni giorni, e Lea non faceva che pensare a Jacob.

Tutto ciò che la ragazza faceva, veniva fatto **sovrappensiero**: mentre **ricamava**, per esempio, Lea si punse una decina di volte con il **fuso** perché pensava intensamente alla rosa che lui le aveva regalato.

Un giorno, Lea si trovava al **mercato** vicino il castello: di solito toccava ai **servi** fare la spesa, ma la ragazza amava uscire ogni tanto per ascoltare le **lamentele** dei sudditi. Era convinta che ciò potesse aiutare il Re a renderli più felici.

Mentre Lea passeggiava al centro del sentiero, non si era accorta che un **carro** trainato da **cavalli imbizzarriti** stava per **travolgerla**: il **vociare** delle persone copriva il rumore, e la ragazza si accorse del **pericolo** solamente quando questo era a un **paio** di metri da lei.

Chiuse gli occhi in attesa del violentissimo **impatto**, ma sentì una spinta di lato e, quando li riaprì, si ritrovò stesa a terra sotto un **giovane**.

In lui riconobbe Jacob. Il ragazzo **si scusò** tantissime volte: disse che, se l'avesse riconosciuta, le avrebbe dato una spinta più **lieve** e, soprattutto, non si sarebbe mai permesso di toccarla e di **piombarle addosso**.

Infine, chiese a Lea se si fosse fatta male. Lei rispose che stava benissimo, ed era **esclusivamente** grazie a lui e alla sua **prontezza**.

Il suo gesto l'aveva davvero stupita, soprattutto perché era stato **spontaneo**: Jacob aveva messo a rischio la sua vita per un'**estranea**.

Lea concluse dicendo che aveva preso la sua decisione. Avrebbe sposato Jacob.

Il ragazzo non riusciva a crederci: era vero che aveva salvato la principessa, ma non pensava che sarebbe bastato così poco: **del resto**, la sua azione avrebbe dovuto essere la **normalità**.

Il giorno dopo, vennero organizzate le **nozze** tra i due ragazzi. Era una giornata **nuvolosa**, ma la felicità e l'amore del regno e dei due ragazzi erano tali che nulla poteva **eclissarli**.

"Per aver salvato la vita di mia figlia. Se Jacob non si fosse trovato lì, ora staremmo **piangendo** la sua morte", disse il Re con le **lacrime** agli occhi.

Quel giorno fu solo l'inizio di un periodo estremamente felice per il regno: Jacob e Lea, forti del loro amore, riuscirono a **regnare** per moltissimi anni e a far **prosperare** il regno come mai nessuno era riuscito a fare.

Riassunto della storia

Re Mervi, che governa i Regni del Sud, è ormai piuttosto anziano e sta cercando un marito per sua figlia Lea. Moltissimi giovani si presentano a corte per chiedere di sposare Lea, ma nessuno di loro sembra convincere la ragazza. Un giorno, al castello si presenta Jacob, un ragazzo che, alla richiesta di Lea di dimostrarle il suo amore, le dona una rosa. Abbastanza stupita, Lea gli dice che ha bisogno di alcuni giorni di riflessione. Scopre poi che questa semplicità la porta a pensare sempre a lui. Il giorno dopo, lui la salva da una tragedia in strada, così, alla fine, decidono di convolare a nozze.

Summary of the story

Re Mervi, who rules the Southern Kingdoms, is aging and is looking for a husband for his daughter Lea. Many young men come to the castle to ask for Lea's hand, but Lea does not seem to like any of them. One day, a man called Jacob comes to the castle and, when Lea asks him to prove his love, he gives her a rose. Lea is quite astonished, and she tells him that she needs to think for a few days. She would later discover that this simplicity led her to think of him constantly. The next day he saves her from a tragedy in the street, so finally they decide to get married.

Vocabulary

- **nazione**: nation
- **cosiddetto**: so-called
- **regno**: kingdom
- **autoritario**: authoritative
- **abbastanza**: quite
- **epoca**: time
- **avanzato**: old
- **legge**: law
- **trono**: throne
- **degno**: worthy
- **sposare**: to marry
- **sensibile**: sensitive
- **felicità**: happiness
- **avere a cuore**: to care for
- **prosperità**: prosperity
- **castello**: castle
- **suddito**: subject
- **margine**: edge
- **età**: age
- **malcontento**: dissatisfaction
- **abitante**: inhabitant
- **caratteristica**: feature
- **ovviamente**: obviously
- **puro**: pure
- **potente**: powerful
- **gioia**: joy
- **vigliacco**: coward
- **vanesio**: vain person

- **parere**: opinion
- **affascinante**: fascinating
- **suadente**: persuasive
- **ammaliare**: to charm
- **manipolare**: to manipulate
- **parlantina**: gab
- **mingherlino**: skinny
- **affermare**: to affirm
- **drago**: dragon
- **testa**: head
- **bestia**: beast
- **convinto**: convinced
- **sicuro**: sure
- **bugiardo**: liar
- **pretendente**: suitor
- **aggravare**: to make worse
- **scartare**: suitor
- **esigente**: hard to please
- **corte**: court
- **animo**: soul
- **tremolante**: trembling
- **indice**: sign, clue
- **rosa**: rose
- **delicatezza**: delicacy
- **prateria**: grassland
- **sconcertato**: baffled
- **scontato**: taken for granted
- **sbalordito**: astonished

- **farsi scrupoli:** to be unscrupulous
- **sovrappensiero:** lost in their own thoughts
- **ricamare:** to embroider
- **fuso:** spindle
- **mercato:** market
- **servo:** servant
- **lamentele:** complaints
- **carro:** wagon
- **cavallo imbizzarrito:** skittish horse
- **travolgere:** to crush
- **vociare:** clamor
- **pericolo:** danger
- **paio:** a couple
- **impatto:** impact
- **giovane:** young person

- **scusarsi:** to say sorry
- **lieve:** delicate
- **piombare:** to pounce on
- **addosso:** against
- **esclusivamente:** exclusively
- **prontezza:** readiness
- **spontaneo:** spontaneous
- **estraneo:** stranger
- **del resto:** after all
- **normalità:** normalcy
- **nozze:** marriage
- **nuvoloso:** cloudy
- **eclissare:** to outshine
- **piangere:** to cry
- **lacrima:** tear
- **regnare:** to rule
- **prosperare:** to flourish

Questions about the story

1. **Come si chiama il Re che governa i Regni del Sud?**

   a) Re Melville

   b) Re Calville

   c) Re Nervi

   d) Re Mervi

2. **Quanti anni devono avere al massimo i pretendenti di Lea?**

   a) Venti

   b) Trenta

   c) Quaranta

   d) Cinquanta

3. **Quanti ragazzi si presentano a corte per chiedere di sposare Lea?**

   a) Più di cento

   b) Più di duecento

   c) Più di cinquanta

   d) Più di mille

4. **Perché Lea decide di sposare Joseph?**

   a) Perché è bello e ricco

   b) Perché ha dimostrato di essere fedele

   c) Perché ha dimostrato di essere coraggioso

   d) Perché ha dimostrato di essere un buon monarca

5. **Quando vengono celebrate le nozze tra Joseph e Lea?**

   a) Una giornata piovosa e fredda

   b) Una giornata calda e soleggiata

   c) Una giornata nuvolosa

   d) Un venerdì d'inverno

Answers

1) D
2) B
3) A
4) C
5) C

Chapter 10

IL NUOVO AMICO

Era una serata **tranquilla** e calda a casa di Lorenzo, sedici anni: erano le 22:30, e mancava poco **prima** di andare a letto. Il giorno dopo sarebbe dovuto andare a scuola, quindi non poteva permettersi di restare sveglio fino a **tardi**.

Esattamente come ogni sera, il ragazzo stava bevendo la sua **consueta** tazza di latte mentre **scorreva** la homepage del suo social network preferito; la sera amava guardare le foto delle sue **celebrità** preferite: gli davano un senso di **sicurezza**, e sperava di **diventare** come loro un giorno.

Si stava facendo tardi, quindi il ragazzo decise di **spegnere** il computer e di iniziare a prepararsi per dormire. Scoprì il letto, **prese** il **pigiama** dall'armadio, poi andò in bagno a **lavarsi i denti**.

Sua madre aveva cambiato le **lenzuola** quella mattina stessa e, non appena Lorenzo le alzò, un **profumo** di **lavanda** lo avvolse. La combinazione di lenzuola nuove e denti **appena** lavati lo facevano sentire il ragazzo più **fortunato** e **pulito** al mondo.

Svolta la routine che precedeva il momento di andare a letto, Lorenzo guardò l'**orologio**: erano le 23, quindi il ragazzo si mise sotto le coperte. La sveglia era alle 7, e non voleva certo alzarsi più **insonnolito** del solito! Una volta bevuto l'ultimo **sorso** di latte e poggiata la **tazza** sul comodino, il ragazzo **spense la luce** e cercò subito di **addormentarsi**.

Quella notte, però, c'era qualcosa di **strano**. Lorenzo **percepiva** una strana presenza nella sua stanza. La finestra che aveva lasciato aperta per il troppo caldo **proiettava** sul soffitto delle ombre piuttosto **spaventose**, ma Lorenzo non si lasciò intimorire inutilmente. Tutto ciò che contava era addormentarsi.

Dopo qualche minuto, il ragazzo sentì un rumore: qualcosa (o qualcuno!) era entrato nella sua stanza! Lorenzo cercò di convincersi di essersi sbagliato.

Tuttavia, Lorenzo era convinto di percepire quella strana presenza, e aveva l'impressione che il suo **sguardo** fosse puntato dritto su di lui. Capì allora di non essere **solo** nella stanza.

Il ragazzo **fingeva** di dormire **profondamente**, ma dentro di sé era **terrorizzato**. E se fosse stato qualcuno che voleva fare del male a lui e ai suoi genitori? O se si trattava di un animale pericoloso?

Lorenzo non era mai stato particolarmente **coraggioso** e, in quegli istanti che sembravano un'eternità, ne aveva avuto la prova. Non osava fare il minimo movimento, e ad un certo punto **nascose** la testa sotto la **coperta** secondo il ragionamento "se io non lo vedo, lui non può vedermi". Nei film di solito funzionava.

Lorenzo sentì che quella cosa si stava **avvicinando** sempre di più, e iniziò a sentirne il **respiro** sul viso: avrebbe voluto **urlare** o almeno **allontanarsi**, ma il terrore l'aveva **pietrificato** nella posizione in cui si trovava.

A quel punto, sentì la cosa (o la persona) **urtare** il comodino accanto al suo letto.

Lorenzo stava davvero morendo di paura: un **ladro** era entrato in casa sua, in camera sua, ed era a pochi centimetri da lui!

Dopo qualche secondo, il ladro sembrò allontanarsi e fece il giro del letto di Lorenzo per **dirigersi** alla porta. Aveva un passo molto

leggero, quindi Lorenzo pensò che doveva essere molto magro o che, addirittura, fosse un bambino.

Nella cittadina in cui Lorenzo e la sua famiglia vivevano, infatti, più volte erano stati denunciati bambini che provenivano o da **contesti** difficili, o che avevano formato una baby gang e che si divertivano a entrare nelle case di **sconosciuti**, a **distruggere** auto e a **vandalizzare** il parco giochi.

Anche se si fosse trattato di un bambino, Lorenzo era comunque terrorizzato perché, se avesse acceso la luce, il bambino avrebbe potuto **ferirlo** con qualche oggetto.

Mentre Lorenzo faceva tutti questi **ragionamenti**, sentì che il ladro aveva iniziato a **graffiare** la porta. Dopo pochi secondi, era tornato nuovamente verso il comodino, utilizzando il suo solito passo felpato.

A quel punto, Lorenzo lo sentì: "Miao".

Non poteva **crederci**: non si trattava di un ladro né di un **ferocissimo** animale venuto per **succhiargli** il **sangue**! Era un gatto che, evidentemente, era stato attirato dall'**odore** del latte.

A quel punto, tutta la paura di Lorenzo **svanì**. Si tirò su per accendere la luce e, non appena l'accese, abbassò lo sguardo e si trovò davanti un gattino così piccolo che poteva stare nel **palmo** della sua mano. Probabilmente, era nato da pochi giorni.

Il **micio** non aveva un **collare**, quindi poteva essere nato da una **gatta randagia** o, nel peggiore dei casi, era stato **abbandonato** dai suoi padroni: ad ogni modo, il gattino non aveva alcun **proprietario**. Era **sporco** e con il pelo **arruffato**, poverino.

Lorenzo si chinò per prenderlo in braccio. Scese le scale e **si recò** in **cucina** dove prese una **bottiglia** di latte. Lo **versò** in una **ciotola** e la posò a terra perché il micio potesse berlo.

"Poverino, devi essere molto **affamato**", disse Lorenzo mentre osservava il gattino bere **avidamente** dalla ciotola. In pochi secondi, tutto il latte era sparito. Il ragazzo ne versò dell' altro: non pensava che un animale così piccolo potesse bere tanto latte!

"Andrò subito ad **avvertire** i miei genitori." Pensò Lorenzo. "Tu non muoverti!" Disse al micio **minacciandolo** per scherzo. Lorenzo andò in **soggiorno**, dove i suoi genitori si erano ormai addormentati davanti la TV.

Lorenzo pensò non fosse giusto **svegliarli**, quindi decise che avrebbe detto loro tutto la mattina **seguente**; del resto, **facevano colazione** tutti e tre insieme!

"Ti chiamerò Bubu." Disse Lorenzo al micetto, che rispose con un "Miao" molto **soddisfatto**. Con la **pancia** ora piena, Bubu iniziò a **fare le fusa**.

"Hai bisogno di un bagno, però. L'**igiene** è importante!" Lorenzo prese Bubu e lo portò in bagno per lavarlo. **Nonostante** le resistenze del gattino, dopo qualche minuto era già **asciutto**, perfettamente pulito.

Fatto ciò, i due nuovi amici tornarono in **camera** di Lorenzo. Il ragazzo **improvvisò** una **lettiera** per Bubu: il giorno seguente, sarebbe uscito a comprargliene una vera. Quella sera, un **cuscino** e una coperta sarebbero andati più che bene.

Bubu si addormentò quasi subito, e anche Lorenzo si rimise sotto le coperte. Era molto sollevato: nonostante lo spavento iniziale, quella sera aveva avuto un **risvolto** totalmente **inaspettato**.

Lorenzo sapeva che la mattina dopo avrebbe avuto **più** sonno **del solito**, ma ne era davvero valsa la pena: si era fatto un nuovo, simpaticissimo amico. Inoltre, aveva **imparato** che non è sempre **saggio** lasciare la finestra aperta di notte: questo potrebbe far sì che dei **criminali** si **intrufolino** in casa!

Riassunto della storia

Dopo aver passato la serata sul suo social network preferito, Lorenzo va a dormire ma non riesce a prendere sonno perché sente che qualcosa è entrato in camera sua. All'inizio, pensa si tratti di un ladro o di un animale venuto per cibarsi del suo sangue, ma alla fine scopre che si tratta di una creatura molto meno spaventosa e pericolosa, un piccolo micio, con il quale nascerà una splendida amicizia.

Summary of the story

After spending the evening surfing on his favourite social network, Lorenzo goes to bed but he cannot fall asleep since he feels someone or something has entered his room. At the beginning, he thinks that maybe it is a thief or an animal that has come to drink Lorenzo's blood. In the end, the boy discovers that the creature, a baby cat, is much less frightening and dangerous than he thought and that it will become a very good friend of his.

Vocabulary

- **tranquillo:** quiet
- **prima:** before
- **tardi:** late
- **consueto:** usual
- **scorrere:** to scroll
- **celebrità:** celebrity
- **sicurezza:** safety
- **diventare:** to become
- **far tardi:** to be late
- **spegnere:** to turn off
- **prendere:** to take
- **pigiama:** pajama
- **lavarsi i denti:** to brush the teeth
- **lenzuola:** bed sheets
- **profumo:** fragrance
- **lavanda:** lavender
- **appena:** just
- **fortunato:** lucky
- **pulito:** clean
- **orologio:** watch
- **insonnolito:** half-asleep
- **sorso:** sip
- **tazza:** mug
- **spegnere la luce:** to turn off the light
- **addormentarsi:** to fall asleep
- **strano:** strange
- **percepire:** to sense
- **proiettare:** to show
- **spaventoso:** scary
- **sguardo:** look
- **solo:** alone
- **fingere:** to pretend
- **profondamente:** deeply
- **terrorizzato:** terrified
- **coraggioso:** brave
- **nascondere:** to hide
- **coperta:** blanket
- **avvicinarsi:** to get closer
- **respiro:** breathe
- **urlare:** to shout
- **allontanarsi:** to move away
- **pietrificato:** petrified
- **urtare:** to hit
- **ladro:** thief
- **dirigersi:** to head to
- **leggero:** soft
- **contesto:** context
- **sconosciuto:** unknown
- **distruggere:** to destroy
- **vandalizzare:** to ravage
- **ferire:** to wound
- **ragionamento:** reasoning
- **graffiare:** to claw
- **credere:** to believe

- **ferocissimo:** very ferocious
- **succhiare:** to suck
- **sangue:** blood
- **odore:** smell
- **svanire:** to vanish
- **palmo:** palm
- **micio:** cat
- **collare:** collar
- **gatto randagio:** stray cat
- **abbandonato:** abandoned
- **proprietario:** owner
- **sporco:** dirty
- **arruffato:** messy
- **recarsi:** to go to
- **cucina:** kitchen
- **bottiglia:** bottle
- **versare:** to pour
- **ciotola:** bowl
- **affamato:** hungry
- **avidamente:** greedily
- **avvertire:** to inform
- **minacciare:** to threaten
- **soggiorno:** living room
- **svegliare:** to wake up
- **seguente:** following
- **fare colazione:** to have breakfast
- **soddisfatto:** satisfied
- **pancia:** belly
- **fare le fusa:** to purr
- **igiene:** hygiene
- **nonostante:** nonetheless
- **asciutto:** dry
- **camera:** bedroom
- **improvvisare:** to improvise
- **lettiera:** cat litter
- **cuscino:** pillow
- **risvolto:** implications
- **inaspettato:** unexpected
- **più ... del solito:** more ... than usual
- **imparato:** learned
- **saggio:** wise
- **criminale:** criminal
- **intrufolarsi:** to sneak in

Questions about the story

1. **A che ora va a letto Lorenzo?**

   a) 22

   b) 22,30

   c) 23

   d) 23,30

2. **Dove poggia la tazza Lorenzo?**

   a) Sul comodino

   b) Sulla scrivania

   c) In cucina

   d) A terra

3. **Prima di accendere la luce, Lorenzo cosa pensa che sia a fare quel rumore?**

   a) Il vicino

   b) Suo fratello

   c) Un vampiro

   d) Un ladro

4. **Cosa fa capire a Lorenzo che il gattino non aveva un padrone?**

   a) Il pelo arruffato

   b) Le dimensioni del gatto

   c) Il verso del gatto

   d) L'assenza del collare

5. **Come viene chiamato il gattino?**

   a) Baba

   b) Bibi

   c) Bubu

   d) Bobo

Answers

1) C
2) A
3) D
4) D
5) C

Chapter 11

LA GIORNATA SCOLASTICA
DI MARTINA

Martina è una studentessa del terzo anno del **liceo artistico** ed ha quindici anni. Le sue giornate sono quasi sempre **monotone**, e finisce per fare **praticamente** le stesse cose ogni giorno.

La sua giornata **tipica** inizia alle 7 del mattino. La scuola si trova a circa venti minuti a piedi da casa sua: nelle giornate **invernali** o **piovose**, la ragazza preferisce prendere l'autobus, che ci impiega circa dieci minuti per arrivare, oppure quindici **in caso di** traffico.

Nelle giornate più calde, verso la fine della scuola, Martina preferisce invece farsi una passeggiata. Ama sentire il **canto** degli uccellini di prima mattina, perché le **infonde** un'enorme felicità.

Dopo il suono della **sveglia**, Martina apre gli occhi ma non si alza **ancora** dal letto: ancora sdraiata, inizia a pensare a cosa accadrà durante la giornata.

Passati quei cinque minuti, si siede sul letto e si infila le **ciabatte**. Poi, si alza e prende i vestiti preparati la sera **precedente** ed inizia a **indossarli**: Martina, preparando i vestiti di sera, riesce a **risparmiare** una decina di minuti.

Dopodiché, esce dalla sua stanza per andare in **bagno**, che si trova proprio **accanto** alla sua camera, quindi è un **tragitto** piuttosto breve.

Per prima cosa, la ragazza si dà una **rinfrescata** al viso: tiene moltissimo ad avere una pelle perfettamente **liscia, morbida** e senza **punti neri** né **imperfezioni**, quindi si **spruzza** un po' di **sapone** sulla mano e inizia a lavarsi.

Dopo aver fatto ciò, Martina va in **cucina** e inizia a prepararsi la **colazione**. È stata abituata fin da piccola a bere ogni mattina una bella tazza di latte con i **biscotti**; in più, è **fermamente** convinta che la colazione sia un pasto **fondamentale** per iniziare la giornata **con il piede giusto**.

Quindi, Martina prende una tazza dalla **credenza**, poi prende il latte che si trova nel frigo e lo **versa** per riempirla fino all'orlo. Dopodiché, **colloca** la tazza nel **forno a microonde** e **imposta** il timer su un minuto.

Mentre aspetta che il latte **si riscaldi**, prende il **solito** pacco di biscotti (la tipologia che mangia fin da piccola, l'adora!) e lo **poggia** sul tavolo. Quando il latte è pronto, prende un **cucchiaino** di zucchero e lo versa all'interno.

Quando tutto è pronto, si siede a tavola e inizia a **inzuppare** i biscotti. **In media**, ogni mattina ne mangia tre. Una decina di minuti dopo, Martina si alza e va di nuovo in bagno per **lavarsi i denti**.

Adora avere la sensazione di **freschezza** in bocca: il **dentifricio** alla menta è il suo preferito. Una volta finito, prende la **spazzola** e inizia a **pettinarsi** i capelli mossi. Poi, inizia a **truccarsi** leggermente.

Non è ancora brava con i **cosmetici**, e un trucco leggero, con solo mascara e eyeliner, va più che bene per andare a scuola. Una volta finito, è pronta per uscire.

Va in camera a prendere lo **zaino**, che aveva preparato sempre la sera precedente, si mette la **giacca** e le **scarpe** e si dirige verso l'ingresso per uscire di casa.

Una volta arrivata a scuola, Martina va nel **cortile** per incontrare le sue **compagne di classe**. Non tutte le sono **simpatiche**, ma le fa comunque piacere parlare con loro.

Quella mattina c'erano solo Eleonora, Marika e Sara. Eleonora è la migliore della classe ed è sempre pronta a ricordare al professore dei compiti assegnati per quel giorno: è **esattamente** il tipo di **studentessa** che nessuno sopporta, ma è molto simpatica ed **intelligente**.

Marika è la classica ragazza che non sa quali compiti ci siano da fare finché la professoressa non inizia a **correggerli**. Sembra una ragazza un po' snob ma, approfondendo l'amicizia, è anche lei molto simpatica.

Infine c'è Sara: una ragazza molto **timida**, riservata e praticamente priva di **senso dell'umorismo**. Non è una studentessa particolarmente **diligente**, ma non è neanche l'ultima della classe.

Dopo aver parlato delle cose da studiare, le quattro ragazze salgono le scale ed entrano nella scuola; sempre insieme, entrano in **classe**.

Martina si siede vicino alla sua compagna di banco, Marika, mentre Eleonora e Sara si siedono rispettivamente vicino a Elisa, una **secchiona** esattamente come Eleonora, e Davide, un ragazzo per il quale Sara **ha una cotta** gigantesca.

Dopo pochi minuti, alle 8:15, la **campanella** inizia a suonare e, poco tempo dopo, la lezione inizia. A quell'ora, tutti sono ancora abbastanza **assonnati**, ma **fanno del loro meglio** per seguire le lezioni.

Ogni giorno, Martina ha dei professori diversi: il prof. Terranova, di **letteratura** italiana, la professoressa Civitano, di storia dell'arte, e tanti altri, tutti ugualmente **preparati**.

Alle 11:30, c'è la **ricreazione**, che **dura** quindici minuti. Si tratta di un periodo di tempo fin troppo **breve**, e che dà ai ragazzi **a malapena** il tempo di mangiare qualcosa per **ricaricare** le energie per le tre ore successive.

Al suono della campanella, tutti ritornano ai loro posti e **si preparano** per le tre ore che li separano dalla fine della giornata.

Le ore che seguono la ricreazione sono sempre **le peggiori**: tutti sono abbastanza svegli per seguire le lezioni ma, allo stesso tempo, sono stanchi **mentalmente** a causa di quelle precedenti.

Esattamente allo stesso modo, tutti **si impegnano** per seguire con il massimo dell'attenzione in modo da provare a capire la lezione al meglio.

Alla fine delle sei ore, Martina esce da scuola con le solite tre ragazze e, tutte insieme, si dirigono alla **fermata dell'autobus**. **Siccome** Eleonora e Marika abitano a mezz' ora di autobus dalla scuola, sono **obbligate** a prenderlo ogni giorno.

Sara, invece, abita a cinque minuti a piedi, e un pezzo del tragitto è lo stesso di Martina. Per questo motivo, **spesso e volentieri** le due ragazze tornano a casa in compagnia l'una dell'altra.

Poco prima delle 15:00, Martina è a casa. Ogni giorno trova il **pranzo** già pronto sul tavolo. Sua madre glielo **prepara** sempre prima di uscire di casa per andare a lavoro, quindi la ragazza non deve neanche **preoccuparsi** di spendere tempo per prepararsi da mangiare.

Una volta finito di pranzare, **si rilassa** una mezzoretta sul divano prima di iniziare a svolgere i **compiti**.

Riassunto della storia

Martina ha quindici anni e frequenta il terzo anno del liceo artistico. Ogni mattina, si alza alle 7:00 e si prepara per andare a scuola. Prima si lava il viso, poi fa colazione, si lava i denti e, infine, si pettina e si trucca. Dopodiché, esce di casa e, una volta arrivata nel cortile della sua scuola, incontra tre compagne di classe. Alla fine della giornata, torna a casa e pranza.

Summary of the story

Martina is a fifteen-year-old girl who is in the third year of the art college. Every morning, she gets up at 7 and she gets ready to go to school. First of all, she washes her face, she has breakfast, she brushes her teeth and, finally, she combs her hair and she puts on makeup. Then, she leaves her house and, when she arrives in her school courtyard, she meets three of her female classmates. At the end of her day, Martina comes back home and has lunch.

Vocabulary

- **liceo artistico:** art college
- **monotono:** monotonous
- **praticamente:** virtually
- **tipico:** typical
- **invernale:** winter
- **piovoso:** rainy
- **in caso di:** in case of
- **canto:** song
- **infondere:** to instill
- **sveglia:** alarm clock
- **ancora:** still
- **ciabatta:** slippers
- **precedente:** previous
- **indossare:** to wear
- **risparmiare:** to save
- **bagno:** bathroom, toilet
- **accanto:** next to
- **tragitto:** journey
- **rinfrescata:** spruce up
- **liscia:** smooth
- **morbida:** soft
- **punti neri:** blackheads
- **imperfezione:** imperfection
- **spruzzare:** to spray
- **sapone:** soap
- **cucina:** kitchen
- **colazione:** breakfast
- **biscotti:** cookies

- **fermamente:** fundamental
- **fondamentale:** firmly
- **con il piede giusto:** in the right way
- **credenza:** cupboard
- **versare:** to pour
- **collocare:** to place
- **forno a microonde:** microwave oven
- **impostare:** to set
- **riscaldarsi:** to warm
- **solito:** usual
- **poggiare:** to put
- **cucchiaino:** teaspoon
- **inzuppare:** to immerse
- **in media:** on average
- **lavarsi i denti:** to brush the teeth
- **freschezza:** freshness
- **dentifricio:** toothpaste
- **spazzola:** brush
- **pettinarsi:** to comb one's hair
- **truccarsi:** to wear makeup
- **cosmetici:** cosmetics
- **zaino:** schoolbag
- **giacca:** jacket
- **scarpe:** shoes

- **cortile:** courtyard
- **compagno di classe:** classmate
- **simpatico:** likeable
- **esattamente:** exactly
- **studente:** student
- **intelligente:** smart
- **correggere:** to check
- **timido:** shy
- **senso dell'umorismo:** sense of humor
- **diligente:** diligent
- **classe:** classroom
- **secchione:** nerd, overachiever
- **avere una cotta:** to have a crush on someone
- **campanella:** bell
- **assonnato:** sleepy
- **fare del proprio meglio:** to do one's best
- **letteratura:** literature
- **preparato:** knowledgeable
- **ricreazione:** recreation
- **durare:** to last
- **breve:** short
- **a malapena:** barely
- **ricaricare:** to recharge, to recover
- **prepararsi:** to get ready
- **il peggiore:** the worst
- **mentalmente:** mentally
- **impegnarsi:** to make an effort
- **fermata dell'autobus:** bus stop
- **siccome:** since
- **obbligato:** force to
- **spesso e volentieri:** very often
- **pranzo:** lunch
- **preparare:** to make
- **preoccuparsi:** to worry about
- **rilassarsi:** to relax
- **compiti:** homework

Questions about the story

1. Che scuola frequenta Martina?

   a) Liceo artistico
   b) Liceo classico
   c) Liceo scientifico
   d) Liceo linguistico

2. Dove si trova il bagno della casa di Martina?

   a) Davanti la camera dei suoi genitori
   b) Affianco alla cucina
   c) Accanto alla camera di Martina
   d) Vicino la porta d'ingresso

3. Come si chiamano le tre compagne di classe con cui Martina si incontra la mattina?

   a) Eleonora, Martina, Sara
   b) Eleonora, Sara, Marina
   c) Eleonora, Marika, Sara
   d) Maria, Marika, Milena

4. Come si chiama l'insegnante di storia dell'arte di Martina?

   a) Prof. Terranova
   b) Prof.ssa Civitano
   c) Prof. Tricarico
   d) Prof.ssa Lanna

5. Cosa mangia Martina per pranzo al ritorno da scuola?

   a) Pasta al pomodoro, cotoletta ed insalata
   b) Pesce, patatine fritte e un bicchiere di acqua gassata
   c) Hamburger con ali di pollo fritte condite con ketchup e maionese
   d) Non lo sappiamo

Answers

1) A
2) C
3) C
4) B
5) D

Chapter 12

LA MIA AMICA CHARLOTTE

Ho tante amiche, ma Charlotte è una delle più **preziose**. Charlotte è una ragazza **francese** arrivata in Italia con la sua **famiglia** quando aveva solo otto anni.

Al momento dell'arrivo, non **conosceva** una **singola** parola d'italiano; ricordo che, quando arrivò nella mia **classe**, la maestra ci disse che avremmo potuto parlarle **solamente** in inglese perché lei lo parlava **abbastanza** bene.

Il problema, però, è che noi non conoscevamo l'inglese! Quindi l'unico momento in cui potevamo parlare con Charlotte era a **lezione** di inglese, con l'insegnante che le **traduceva** le nostre **domande**.

Abbiamo scoperto che era arrivata in Italia perché suo padre **era stato assunto** da una **prestigiosa azienda** italiana che aveva voluto **si trasferisse** il più vicino possibile allo **stabilimento** principale.

Diventai una delle primissime **amiche** di Charlotte. Le altre **bambine** la lasciavano in disparte perché non parlava italiano, e a me dispiaceva tantissimo che rimanesse **isolata** in un angolino della classe.

Quindi, la **soluzione** mi era **chiara**. Charlotte avrebbe imparato l'italiano con il tempo, ma non riusciva ancora a **comunicare**. La cosa **giusta** da fare era che io imparassi il francese.

Un pomeriggio, circa una **settimana** dopo l'arrivo di Charlotte, chiesi alla mia mamma "Mamma, voglio imparare il francese. Mi **trovi** un **insegnante?**". Mia mamma, Laura, rimase molto **sorpresa.**

Ero una bambina abbastanza **svogliata** a scuola e dovevo **farmi pregare** per svolgere i compiti, e di certo la mia mamma non **si aspettava** una richiesta del genere. Oltretutto, il francese non è una lingua così **semplice** e, soprattutto, non tutti la conoscono qui in Italia.

"Come mai vuoi imparare il francese, **tesoro?** E perché non l'inglese?" chiese mia mamma. Le **spiegai** che nella mia classe era arrivata una bambina francese, e che volevo poter parlare con lei nella sua lingua. **Oltretutto,** l'inglese non mi piaceva!

"Va bene, ti troverò un'insegnante. Anche se credo di conoscerne una che è molto brava...", disse mia madre **facendomi l'occhiolino.** Ero **confusa:** come aveva fatto a trovarne una in dieci secondi? "Davvero mamma, e chi è?", chiesi **incuriosita.**

"La tua mamma ha vissuto in Francia, a Lione, per tre anni prima che tu **nascessi.** È lì che **ho conosciuto** tuo padre", mi rispose **sorridendo.** Non sapevo che mia madre avesse vissuto per ben tre anni fuori dall'Italia.

"Bene mamma, allora iniziamo subito a studiare", presi la **mano** della mia mamma e la **trascinai** dentro casa perché **iniziassimo** subito con le lezioni. Fu un pomeriggio davvero **faticoso:** studiammo dalle quattro fino alle sette di sera, quando la mia mamma si alzò per andare a preparare la **cena.**

"Papà sta per tornare", annunciò la mamma. "Non vorremo mica farlo aspettare per mangiare. Dev'essere stata una giornata davvero **dura** per lui." Mio papà di **mestiere** faceva l'**operaio.** Ora, invece, lavora al **supermercato** come **scaffalatore.** È un lavoro decisamente più leggero.

Il giorno successivo, a scuola, andai da Charlotte e, guardandola negli **occhi**, le dissi "Bonjour", che **significa** "Buongiorno" in francese. Il suo **sguardo si illuminò** e mi fece un sorriso. Mi rispose anche lei con un "bonjour". Le sorrisi anch'io: ero felicissima di essere riuscita a pronunciare bene.

A quel punto, tutti i bambini della classe **si riunirono** intorno a noi, **sbalorditi**. Io continuai a parlare con Charlotte: la mia **pronuncia** non era **perfetta**, ma riuscivo a farmi capire. La mia mamma mi aveva insegnato abbastanza parole da poter **sostenere** una **conversazione basica**.

Passai tutto il giorno a parlare con Charlotte, anche durante le lezioni. La maestra se ne accorse e mi **sgridò** un paio di volte, ma non me ne **importava** granché: volevo a tutti i costi fare amicizia con Charlotte. Alla fine della giornata scolastica, le chiesi di vederci per **giocare** a casa mia.

Lei **rispose** che avrebbe dovuto chiedere ai suoi genitori, ma che era **sicura** che l'avrebbero **accompagnata**. E così fu: alle quattro del **pomeriggio**, Charlotte era a casa mia. La **presentai** alla mia mamma, che iniziò a parlarle come se stesse parlando nella nostra lingua.

Ero davvero **invidiosa**: anch'io volevo poter parlare in quel modo con la mia nuova amica!

Offrimmo a Charlotte un po' di tè con **biscotti**. Lei ringraziò e bevve in modo davvero **elegante**. Era una bambina così **educata**! Io mi sentivo un po' **a disagio** con lei perché, **al contrario di** me, aveva dei modi davvero **fini**.

Successivamente, andammo in camera mia a giocare con le **bambole**. Lì iniziò a farsi sentire la mia **debolezza** nella lingua: non sapendo come si chiamassero in francese vari **giocattoli**, non riuscivo a comunicare. Fui **costretta a** chiamare la mia mamma che, mentre parlava con lei, le **forniva** anche il **corrispondente** in italiano.

Quel pomeriggio **mi divertii** davvero tanto: Charlotte era molto **simpatica**, ed era riuscita a imparare **qualche** parola nella nostra lingua. Quando i suoi genitori vennero a prenderla, erano felicissimi di vedere la loro bambina così **giocosa**.

Mentre stavamo ancora giocando, mia madre era andata ad aprire loro il **cancello**. Dopo pochi **minuti**, erano già nella mia stanza. Chiesero qualcosa a Charlotte in francese, che io **ovviamente** non capii perché parlavano molto **velocemente**; Charlotte si alzò subito e mi **salutò** chiedendomi se il pomeriggio successivo mi avrebbe **fatto piacere** andare a giocare a casa sua.

Non ero molto **convinta** della cosa: sapevo **a malapena** parlare francese, ed ero sicura che non sarei riuscita a capire molte cose. **Di rimando**, Charlotte disse che poteva venire anche la mia mamma.

Allora, accettai senza **esitazioni**: **non vedevo l'ora** di andare a casa della mia nuova amica! I suoi genitori mi erano sembrati abbastanza simpatici, e andare a casa loro era un **ottimo** modo per conoscerli **meglio**.

Oggi, io e Charlotte abbiamo **entrambe** ventidue anni e siamo **ancora** amiche per la pelle: lei parla italiano **perfettamente**, **esattamente** come una persona madrelingua. Io, invece, **me la cavo** molto bene con il francese: ovviamente, però, non sono al livello di Charlotte con l'italiano.

Voglio molto bene a Charlotte, e lei vuole molto bene a me. **Ogni** giorno ci vediamo per un caffè **nonostante** i vari impegni e parliamo **del più e del meno**. La **barriera** linguistica tra noi ormai non **esiste** più: so solo che quando parlo con lei, parlo con un'amica!

Riassunto della storia

Charlotte è una bambina francese di otto anni arrivata in Italia con i suoi genitori. Siccome non conosce la lingua italiana, la protagonista del racconto decide di imparare il francese in modo da poter parlare con lei. Grazie all'aiuto della mamma Laura, che aveva vissuto a Lione, in Francia, per tre anni, la protagonista riesce a parlare e a stringere amicizia con Charlotte. Il giorno stesso, la invita a venire a casa sua per giocare.

Summary of the story

Charlotte is an 8-year-old French girl who has come to Italy with her family. Since she does not know the Italian language, the protagonist of the story decides to learn French in order to communicate with her. Thanks to her mom Laura's help, who had lived in Lyon, in France, for three years, the protagonist starts to talk and eventually becomes friends with Charlotte. The same day, she invites Charlotte to come over to play with her.

Vocabulary

- **prezioso:** important
- **francese:** French
- **famiglia:** family
- **conoscere:** to know
- **singolo:** single
- **classe:** class
- **solamente:** only
- **abbastanza:** quite
- **lezione:** lesson
- **tradurre:** to translate
- **domanda:** question
- **assumere:** to hire
- **prestigioso:** prestigious
- **azienda:** enterprise
- **trasferirsi:** to move
- **stabilimento:** factory
- **amico:** friend
- **bambina:** little girl
- **isolato:** isolated
- **soluzione:** solution
- **chiaro:** clear
- **comunicare:** to communicate
- **giusto:** right
- **settimana:** week
- **trovare:** to find
- **insegnante:** teacher
- **sorpreso:** surprised
- **svogliato:** listless

- **farsi pregare:** to make people beg
- **aspettarsi:** to expect
- **semplice:** simple
- **tesoro:** honey
- **spiegare:** to explain
- **oltretutto:** besides
- **fare l'occhiolino:** to wink
- **confuso:** confused
- **incuriosito:** curious
- **nascere:** to be born
- **conoscere:** to meet
- **sorridere:** to smile
- **mano:** hand
- **trascinare:** to drag
- **iniziare:** to start
- **faticoso:** strenuous
- **cena:** dinner
- **duro:** hard
- **mestiere:** job
- **operaio:** factory worker
- **supermercato:** supermarket
- **scaffalatore:** shelving operator
- **occhio:** eye
- **significare:** to mean
- **sguardo:** gaze
- **illuminarsi:** to light up
- **riunirsi:** to gather

114

- **sbalordito:** amazed
- **pronuncia:** pronunciation
- **perfetto:** perfect
- **sostenere:** to endorse
- **conversazione basica:** basic conversation
- **passare:** to spend
- **sgridare:** to scold
- **importare:** to matter
- **giocare:** to play
- **rispondere:** to answer
- **sicuro:** sure
- **accompagnare:** to take
- **pomeriggio:** afternoon
- **presentare:** to introduce
- **invidioso:** envious
- **biscotto:** biscuit
- **elegante:** elegant
- **educato:** polite
- **a disagio:** embarrassment
- **al contrario di:** in contrast to
- **fine:** classy
- **successivamente:** at a later time
- **bambole:** dolls
- **debolezza:** weak spot
- **giocattoli:** toys
- **costretto a:** forced to
- **fornire:** to supply
- **corrispondente:** corresponding
- **divertirsi:** to have fun
- **simpatico:** nice
- **qualche:** some
- **giocoso:** playful
- **cancello:** gate
- **minuto:** minute
- **ovviamente:** obviously
- **velocemente:** quickly
- **salutare:** to greet
- **fare piacere:** to give pleasure
- **convinto:** convinced
- **a malapena:** barely
- **di rimando:** in return
- **esitazione:** hesitation
- **non vedere l'ora:** to be unable to wait
- **ottimo:** great
- **meglio:** better
- **entrambi:** both
- **ancora:** still
- **perfettamente:** perfectly
- **esattamente:** exactly
- **cavarsela:** to get by
- **ogni:** every
- **nonostante:** despite
- **del più e del meno:** about this and that
- **barriera:** barrier
- **esistere:** to exist

Questions about the story

1. **Quanti anni aveva Charlotte al momento del suo arrivo in Italia?**

   a) Sei
   b) Sette
   c) Otto
   d) Nove

2. **In che lingua la classe riusciva a comunicare con Charlotte?**

   a) Francese
   b) Italiano
   c) Inglese
   d) Spagnolo

3. **Chi insegna il francese alla protagonista della storia?**

   a) La sua mamma
   b) Sua sorella Marika
   c) Il suo papà
   d) L'insegnante di francese trovata da Laura

4. **Qual è la prima parola in francese che la protagonista dice a Charlotte?**

   a) Salut, ossia Ciao
   b) Bonjour, ossia Buongiorno
   c) Bonsoir, ossia Buonasera
   d) Merci, ossia Grazie

5. **Cosa mangia Charlotte a casa della protagonista?**

   a) Una barretta di cioccolato al latte
   b) Latte caldo e biscotti
   c) Tè con pasticcini
   d) Tè con biscotti

Answers

1) C
2) C
3) A
4) B
5) D

Chapter 13

LUIGINO IL CONTADINO

Luigino il **contadino** era un uomo **anziano** che, per guadagnarsi da vivere, **vendeva** al mercato i **prodotti** che **coltivava** nei propri **terreni**. A volte, gli capitava anche di fare **consegne a domicilio**.

Mele, pere, **mandarini**, limoni... questi erano solo alcuni dei prodotti di Luigino, conosciuti per la loro **genuinità** oltre che per il **gusto** senza paragoni.

Luigino era molto conosciuto in paese: tutti avevano comprato da lui almeno una volta e, dopo aver provato i suoi prodotti, nella maggior parte dei casi finivano per diventarne **dipendenti**. Erano **squisiti**!

Luigino possedeva una **vasta tenuta** dove, **oltre ai** frutti, coltivava anche **insalata**, pomodori, uva, patate, **cavoli**... coltivava così tanti alimenti che era impossibile farne un **elenco** completo.

Tutta la frutta e la verdura veniva raccolta **quotidianamente**; se c'erano **ordini**, Luigino andava subito a consegnarla a casa di chi l'aveva **richiesta**; se invece era mercoledì, il giorno in cui si **tiene** il **mercato** del paese, Luigino piazzava una **bancarella** in cui vendeva personalmente i suoi prodotti.

Non era **raro** vedere persone **fare la fila** ed aspettare ore intere pur di portarsi a casa una sola mela di Luigino. La gente si **accalcava** alla bancarella del contadino più **benvoluto** del paese, tanto che sia la frutta che la verdura **scomparivano** dopo poche **decine** di minuti.

Tuttavia, **capitava** spesso a Luigino di raccogliere più frutta o verdura di quanta potesse venderne. Poiché ciò che veniva raccolto era buono solo per pochi giorni, Luigino andava a **depositarlo** nel suo **magazzino** in modo da utilizzarlo come cibo per i maiali, le galline e i **tacchini** che allevava.

Un giorno, Luigino si recò al magazzino proprio per depositare un **centinaio** di mele che aveva raccolto: la signora Maria gliene aveva chiesto un paio di **dozzine**, ma il **melo** di Luigino aveva decisamente **esagerato** con la **produzione**!

"Se domani non riuscirò a vendere tutte queste povere mele, saranno una **colazione** perfetta per i miei due maialini", disse Luigino mentre **posava** il **cesto** in un **angolo** del suo magazzino.

Fatto ciò, prese il suo **carretto** e si diresse verso la **casa** della signora Maria, che conosceva da tempo **immemore**. Maria era stata una delle prime persone a iniziare ad **acquistare** da Luigino. Anche all'**età** di novantaquattro anni, continuava a farlo. **Credeva** che i prodotti di Luigino fossero un vero e proprio **elisir** di **giovinezza**.

"Grazie Luigino! Domani portami i **soliti** due chilogrammi di pomodori. Arrivederci", disse Maria non **appena** Luigino le **consegnò** l'ordine. Il contadino fece un **cenno** con il **capo** e se ne andò.

Una volta tornato alla tenuta, si mise a raccogliere i pomodori che la signora gli aveva chiesto. Li preparò e li mise in una **cassetta**; dopodiché, li portò nel magazzino insieme alle mele. Ma queste non c'erano più.

"Che strano, ero **convinto** di aver posato qui le mele", disse il contadino guardando l'angolo in cui, poche ore **prima**, aveva collocato le mele. "Fa nulla, probabilmente **mi sono sbagliato. Sto** proprio diventando vecchio."

Il giorno **successivo**, dopo aver raccolto un cesto di pere e tre cassette di insalata da consegnare **rispettivamente** alle signore Michela e Raffaella, Luigino **si recò** al magazzino per andare a prendere i pomodori da consegnare alla signora Maria.

Con sua grande **sorpresa**, le cassette che aveva raccolto la sera prima erano **sparite**, **esattamente** come il cesto di mele.

"C'è qualcosa che non va... sono **convinto** di aver preparato le cassette per la signora Maria! Qualcuno deve essere entrato nel mio magazzino **rubandomi** la frutta." Luigino era **perplesso**: ogni volta che usciva, chiudeva il magazzino a chiave. Nessuno poteva **intrufolarsi** di nascosto; sicuramente, si trattava di qualche **topo** dispettoso.

Luigino non si perse d'animo: **tornò** nell'orto e raccolse nuovamente i pomodori per la signora Maria. Successivamente, mise le cassette sul carretto e andò a consegnarle.

Dopo una mezzoretta, Luigino fu di ritorno. Decise di voler andare a fondo nella questione: siccome nel deposito regnavano una **pulizia** e un ordine **maniacali**, il contadino credeva difficile il fatto che dei **ratti** potessero vivere proprio lì dentro.

Quindi, Luigino decise di esaminare il **perimetro** del magazzino in cerca di qualche **foro** che, probabilmente, permetteva ai topi di intrufolarsi. Tuttavia, la ricerca ebbe **esito** negativo.

Il **muro** della struttura era **perfetto**, non c'era neanche la minima **crepa**. L'uomo decise quindi di passare all'interno del deposito. Se avesse trovato un **nido** di topi, non se lo sarebbe mai perdonato: aveva **messo in pericolo** la **sicurezza** di tutti coloro che acquistavano i suoi prodotti. Si sa, infatti, che i topi sono **portatori** di tantissime **malattie**.

Luigino aprì la porta del magazzino ed iniziò a **perlustrare** l'area in cerca di **indizi** che potessero **rivelare** l'effettiva presenza di ospiti

indesiderati. Iniziò dall'angolo in cui aveva poggiato sia le mele che i pomodori.

Nessuna traccia di **impronte** né di un qualsiasi **cattivo odore**; quindi, Luigino **passò in rassegna** tutto il perimetro interno della struttura. Ma ancora una volta, niente di niente.

Era rimasto il **solaio**: raggiungibile con una scala, questa area ospitava gli **attrezzi** di Luigino quando non venivano utilizzati. Salite le scale, Luigino iniziò a **spostare** tutto fino a quando non fece una scoperta totalmente **inaspettata**.

Nascosta dietro le **vanghe**, c'era una bambina di circa sette anni. "Bambina, cosa fai qui?" Chiese Luigino. "Signore, ho preso i suoi frutti. La mia mamma è **malata** e non può uscire di casa. Non abbiamo soldi e io ho tanta **fame**, quindi li ho presi e li ho portati alla mia mamma."

Luigino stava per mettersi a piangere: era una **povera** bambina che stava rubando i suoi frutti! "Entro sempre quando lei è nell'**orto**, così almeno la porta è aperta ed è più facile entrare."

Aveva senso. Luigino lasciava la porta aperta quando era nell'orto. "Non **preoccuparti**, piccolina. Non dovrai più venire a prendere il cibo **di nascosto**. Ve lo porterò io ogni giorno."

Luigino aveva sempre frutta **in eccesso**, quindi non sarebbe stato un problema per lui portarla alla bambina e alla sua mamma. "Dimmi, dove abiti?" **Chiese** Luigino.

"Dall'altra parte della **strada**", rispose la bambina.

Il giorno successivo, Luigino portò a casa della bimba tre cesti di mele, tre cassette di pomodori e una **bottiglia** d'olio. Credeva che nessuna bambina dovesse essere costretta a rubare per **sopravvivere**.

Riassunto della storia

Luigino è un anziano contadino che possiede una vasta tenuta in cui coltiva moltissime tipologie di frutta e verdura. Per vivere, vende i suoi prodotti al mercato oppure li consegna alle persone che li ordinano. Un giorno, di ritorno dalla casa della signora Maria, Luigino scopre che le cassette di pomodori che aveva preparato per consegnarle il giorno successivo, erano sparite. Pensando che dei topi stiano rubando tutti i suoi prodotti, inizia a controllare sia l'esterno sia l'interno del magazzino. Alla fine, scoprirà che non era colpa dei topi, ma di una bambina che, povera e affamata, entrava nel suo magazzino per mangiare e portarne un po' alla mamma, nella loro casa dall'altro lato della strada.

Summary of the story

Luigino is an elderly farmer who owns a big farm on which he grows many types of fruits and vegetables. To earn money, he sells his products at the local market or he delivers them to the people who place orders. One day, when Luigino returns from lady Maria's house, he finds out that some boxes of tomatoes he had prepared in order to deliver them the following day, have disappeared. He thinks it is a rat's fault, so he starts checking both outside and inside his warehouse in order to find their nest. Eventually, he finds out it wasn't the rats' fault, but that of a little girl who, poor and hungry, used to go into his warehouse to eat and take some food to her mother, in their house across the street.

Vocabulary

- **contadino:** farmer
- **anziano:** elderly
- **vendere:** to sell
- **prodotto:** product
- **coltivare:** to cultivate
- **terreno:** land
- **consegna a domicilio:** home delivery
- **mandarino:** tangerine
- **genuinità:** genuineness
- **gusto:** taste
- **dipendente:** addicted
- **squisito:** delicious
- **vasto:** extended
- **tenuta:** farm
- **oltre a:** besides
- **insalata:** salad
- **cavolo:** cabbage
- **elenco:** list
- **quotidianamente:** daily
- **ordine:** order
- **richiesto:** requested
- **tenere:** to hold
- **mercato:** market
- **bancarella:** stand
- **raro:** uncommon
- **fare la fila:** to queue
- **accalcarsi:** to crowd

- **benvoluto:** admired
- **scomparire:** to disappear
- **decina:** ten
- **capitare:** to occur
- **depositare:** to deposit
- **magazzino:** warehouse
- **tacchino:** turkey
- **centinaio:** hundred
- **dozzina:** twelve
- **melo:** apple tree
- **esagerare:** to overdo
- **produzione:** production
- **colazione:** breakfast
- **posare:** to lay down / lie down
- **cesto:** basket
- **angolo:** corner
- **carretto:** cart
- **casa:** house
- **immemore:** immemorial
- **acquistare:** to buy
- **età:** age
- **credere:** believe
- **elisir:** elixir
- **giovinezza:** youth
- **solito:** usual
- **appena:** just
- **consegnare:** to deliver

- **cenno:** signal
- **capo:** head
- **cassetta:** box
- **convinto:** convinced
- **prima:** before
- **sbagliarsi:** to be mistaken
- **successivo:** following, next
- **rispettivamente:** respectively
- **recarsi:** to head to
- **sorpresa:** surprise
- **sparito:** disappeared
- **esattamente:** exactly
- **convinto:** convinced
- **rubare:** to steal
- **perplesso:** puzzled
- **intrufolarsi:** to sneak into
- **topo:** mouse
- **tornare:** to go back
- **pulizia:** tidiness
- **maniacale:** obsessive
- **ratto:** rat
- **perimetro:** perimeter
- **foro:** hole
- **esito:** result
- **muro:** wall
- **perfetto:** perfect
- **crepa:** chink
- **nido:** nest

- **mettere in pericolo:** to jeopardize
- **sicurezza:** safety
- **portatore:** bearer
- **malattia:** disease
- **perlustrare:** to examine
- **indizio:** clue
- **rivelare:** to show
- **indesiderato:** undesired
- **impronta:** footprint
- **cattivo odore:** smell
- **passare in rassegna:** to examine
- **solaio:** attic
- **attrezzo:** tool
- **spostare:** to move
- **inaspettato:** unexpected
- **vanga:** spade
- **malato:** ill
- **fame:** hunger
- **povero:** poor
- **orto:** garden
- **preoccuparsi:** to worry
- **di nascosto:** secretly
- **in eccesso:** exceeding
- **chiedere:** to ask
- **strada:** street
- **bottiglia:** bottle
- **sopravvivere:** to survive

Questions about the story

1. Quanti anni ha Luigino?

   a) 60
   b) 70
   c) 80
   d) Non lo sappiamo

2. Come si chiama la signora che ordina i prodotti di Luigino da tanto tempo?

   a) Elvira
   b) Maria
   c) Donatella
   d) Michela

3. Cosa avrebbe dovuto consegnare Luigino il giorno successivo?

   a) Pomodori
   b) Mele
   c) Pere
   d) Banane

4. Chi è che ruba i prodotti di Luigino?

   a) Un ladro
   b) Un topo
   c) Un bambino
   d) Una bambina

5. Come mai la bambina è costretta a rubare?

   a) Perché sua madre è malata
   b) Perché è golosa
   c) Perché non vuole pagare per mangiare
   d) Perché non riesce a trovare i prodotti di Luigino al mercato

Answers

1) D
2) B
3) A
4) D
5) A

Chapter 14

TROPPO NON VA MAI BENE

Era una bella **giornata** di maggio, calda e **soleggiata**. Giacomo si trovava al **parco** con la sua mamma, Lidia. Quello ero un giorno **speciale**: non solo era sabato (e si sa, di sabato non si va a scuola), ma era anche il giorno della **festa patronale**.

In quel giorno, la **cittadina** in cui viveva il piccolo Giacomo, di dieci anni di **età**, si riempiva di ogni **genere** di divertimento: **giostre** varie, **macchine a scontro**, **tiro al bersaglio** e **venditori ambulanti** di una moltitudine di **prelibatezze**.

Zucchero filato, **gelati** vari, crepes, **patatine fritte**... queste erano solo alcune delle **bontà** vendute alla fiera del paese. Giacomo era un **golosone** e, se avesse potuto, avrebbe mangiato di tutto e di più. **Siccome** voleva **assaggiare** almeno una delle prelibatezze proposte, chiese alla sua mamma di comprargli qualcosa.

"Mamma, vorrei tanto un gelato. Me lo compri?" chiese Giacomo con gli occhi che **brillavano**. Ogni volta che **desiderava** qualcosa, sapeva bene come ottenerlo: Lidia non riusciva a dire di no a quegli **occhioni**, e finiva sempre per **accontentarlo**.

"Va bene tesoro, ma solo un **cono** medio. Se mangi troppo gelato, finirai per avere un **mal di pancia** stasera", disse Lidia. Quindi, entrambi si diressero verso la **bancarella** che vendeva i gelati. Giacomo era **confuso**: in esposizione c'erano almeno trenta **gusti** diversi, tutti ugualmente **invitanti**.

Era come dover scegliere se vuoi più bene alla mamma o al papà: Giacomo voleva provarli tutti, gli **importava** poco del mal di pancia che lo aspettava se lo avesse fatto! Aveva sempre mangiato tanto gelato fin da piccolo: era ben **abituato**.

"Salve bambino. Cono o **coppetta?**" chiese il **signore** che stava alla bancarella. "Cono, grazie." Rispose Giacomo; lui **adorava** prendere il gelato con il cono. Quando era piccolo, la mamma gli comprava sempre i gelati con la coppetta perché finiva sempre per **sporcarsi**.

Ormai, però, era diventato grande: una volta che il gelato era **terminato**, Giacomo poteva gustarsi la **croccantezza** del cono.

Dopotutto, la **punta** finale era la parte più buona, forse anche più del gelato stesso. In più, era diventato talmente veloce nel mangiarlo che, in pochi secondi, aveva già finito.

"Dimmi, che gusti vuoi? Puoi metterne al massimo tre", chiese il **gelataio**. Era una **domanda da un milione di dollari**: Giacomo non riusciva proprio a **scegliere**! Il suo gusto preferito era il **cioccolato**, quindi era già a uno su tre.

"Lei cosa mi **consiglia** signore? Io vorrei mettere il cioccolato" disse Giacomo. Dopo una breve **riflessione**, il gelataio disse "Potresti mettere **fragola** e **crema**. Sono due gusti che **si abbinano** bene con il cioccolato. Ti piacciono?"

Nonostante Giacomo avesse provato molti gusti, fragola e crema non facevano parte di questi. Erano due **fragranze** abbastanza **comuni** e, forse per questo motivo, il bambino aveva sempre voluto **privilegiare** gusti più **insoliti**.

"Va bene signore, allora mi metta cioccolato, fragola e crema. E con tanta **panna** sopra, per favore. La panna mi piace tantissimo." **Sentenziò** Giacomo. Il gelataio iniziò subito a **comporre** il gelato per il suo giovane **cliente**.

Dopo meno di un minuto, Giacomo aveva già tra le mani il suo **gustosissimo** gelato; in altrettanto poco tempo, il gelato era già **sparito**! Giacomo l'aveva **divorato**; era **squisito** e non era riuscito a fermarsi neanche per un attimo.

"Era squisito mamma!" disse Giacomo a Lidia con **euforia**, "Posso averne un altro? Ti prego!". Giacomo iniziò a **fare i capricci** esattamente come un bambino piccolo. Nonostante la sua età, quel **tratto caratteriale** non era sparito.

Lidia rispose con **fermezza** "No Giacomo, non puoi averne un altro. Ti ho spiegato che, se mangi troppo gelato, ti verrà un mal di pancia." Giacomo fece nuovamente i suoi soliti occhioni della **persuasione**, ma Lidia non si lasciò **impietosire**.

"Ho detto di no, Giacomo. Ora andiamo a casa, si sta facendo tardi", **annunciò** la mamma. "Oh, guarda, lì c'è la mia amica Ginevra!" disse Lidia, indicando una **donna** poco lontana. "Passo a **salutarla**."

Giacomo ebbe un **lampo di genio**. Mentre sua mamma parlava con la sua amica, lui sarebbe potuto **sgattaiolare** dal gelataio e prendere un altro gelato. **Procurarsi** i soldi necessari non sarebbe stato un problema: aveva tenuto il **resto** del gelato precedente.

"Mamma, vado un attimo a vedere le giostre", disse Giacomo a Lidia; del resto, le giostre erano di fianco al gelataio. "Va bene tesoro, ma **fai attenzione**. Ti **tengo d'occhio**." Il piano sembrava aver convinto l'**ignara** Lidia.

Nonostante lo **sguardo** di sua madre gli si staccò di dosso per soli due **istanti**, Giacomo riuscì a comprare un secondo gelato, **identico** a quello che aveva appena mangiato. **Sfruttando** la sua **abilità** di finire tutto in pochi secondi, dopo poco più di un minuto era tornato da sua madre.

A quel punto, Lidia salutò Ginevra e tornò a casa con Giacomo.

Dopo un'ora, Giacomo iniziò a sentire un forte mal di pancia accompagnato da **nausea**. Si sentiva davvero male! "Giacomo, cos'hai? Mi sembri **pallido**", chiese Lidia vedendo che suo figlio non stava bene.

"Ho un forte mal di pancia, mamma. Mi viene da **vomitare**", disse Giacomo tenendosi la pancia. A quel punto, Lidia capì all'istante. "Non avrai mica comprato un'altro gelato nonostante te l'avessi **proibito**?" Chiese **infuriata**.

"Dopo un po' di **resistenza**, Giacomo **confessò**. "Era buonissimo mamma, non ho **resistito**" disse Giacomo quasi **piangendo**. "Ora per favore, dammi la **medicina**", supplicò il bambino. Anche se era **arrabbiata** con lui, Lidia andò subito a prendere lo **sciroppo** che l'avrebbe **guarito** in pochi minuti.

Era convinta che Giacomo non avrebbe avuto bisogno di una **punizione**: il mal di pancia era già abbastanza. Effettivamente, la donna aveva ragione. Anche se era stato un bambino **cattivo**, Giacomo era davvero **pentito** di ciò che aveva fatto, e Lidia era convinta che non avrebbe **commesso** l'errore un'altra volta.

Quell'episodio servì da lezione a Giacomo. Non solo capì che non bisogna allontanarsi dai genitori per fare qualcosa **alle loro spalle**, ma che non bisogna neanche comprare un secondo gelato: nessuno vuole procurarsi un brutto mal di pancia **per colpa** della troppa **golosità**!

Riassunto della storia

Giacomo si trova con la mamma Lidia alla festa del suo paese e vede tantissime bancarelle che vendono zucchero filato, gelati e patatine fritte. Lui chiede alla sua mamma di avere un gelato, che sceglierà di tre gusti: cioccolato, fragola e crema. Dopo averlo finito, chiede di averne un altro ma sua madre rifiuta. Sfruttando la distrazione di Lidia, Giacomo compra un secondo gelato, ma dopo poco capisce che non avrebbe dovuto, soffrendo di quel mal di pancia di cui la mamma lo aveva avvertito.

Summary of the story

Giacomo, together with his mom Lidia, is at the patronal festival and he sees many stands selling cotton candy, ice cream, and chips. He asks his mom to buy him an ice cream that will be made up of chocolate, strawberry, and custard. After having finished it, Giacomo asks his mom to buy him another one but Lidia says no. By exploiting Lidia's distraction, Giacomo buys another ice cream, but he realizes he should not have bought it, when he suffers from that bellyache his mother warned him about.

Vocabulary

- **giornata:** day
- **soleggiata:** sunny
- **parco:** park
- **speciale:** special
- **festa patronale:** patronal festival
- **cittadina:** town
- **età:** age
- **genere:** kind
- **giostra:** carousel
- **macchine a scontro:** bumper cars
- **tiro al bersaglio:** target shooting
- **venditore ambulante:** peddler
- **prelibatezza:** delicacy
- **zucchero filato:** cotton candy
- **gelato:** ice cream
- **patatine fritte:** chips
- **bontà:** delicious food
- **golosone:** glutton
- **siccome:** since
- **assaggiare:** to try
- **brillare:** to shine
- **desiderare:** to wish
- **occhioni:** eyes
- **accontentare:** to please
- **cono:** cone
- **mal di pancia:** stomachache
- **bancarella:** stand
- **confuso:** confused
- **gusto:** flavor
- **invitante:** inviting
- **importare:** to matter
- **abituato:** accustomed
- **coppetta:** cup
- **signore:** man
- **adorare:** to love
- **sporcarsi:** to get dirty
- **terminare:** to finish
- **croccantezza:** crunchiness
- **punta:** end
- **gelataio:** ice cream man
- **domanda da un milione di dollari:** million-dollar question
- **scegliere:** to choose
- **cioccolato:** chocolate
- **consigliare:** to advise
- **riflessione:** reflection
- **fragola:** strawberry
- **crema:** custard
- **abbinarsi:** to match
- **fragranza:** aroma

- **comune:** common
- **privilegiare:** to privilege with
- **insolito:** uncommon
- **panna:** cream
- **sentenziare:** to decide
- **comporre:** to make
- **cliente:** client
- **gustosissimo:** scrumptious
- **sparito:** disappeared
- **divorare:** to devour
- **squisito:** delicious
- **euforia:** euphoria
- **tratto caratteriale:** character trait
- **capricci:** tantrum
- **fermezza:** resoluteness
- **persuasione:** persuasion
- **impietosire:** to move to pity
- **annunciare:** to announce
- **donna:** woman
- **salutare:** to say hello
- **lampo di genio:** flash of genius
- **procurarsi:** to obtain
- **sgattaiolare:** to sneak off
- **resto:** change
- **fare attenzione:** to be careful
- **tenere d'occhio:** to keep an eye on someone
- **ignaro:** unaware
- **sguardo:** gaze
- **istante:** instant
- **identico:** identical
- **sfruttare:** to exploit
- **abilità:** ability, skill
- **nausea:** nausea
- **pallido:** pale
- **vomitare:** to vomit
- **proibire:** to forbid
- **infuriato:** very angry
- **resistenza:** resistance
- **confessare:** to confess
- **resistere:** to resist
- **piangere:** to cry
- **medicina:** medicine
- **arrabbiato:** angry
- **sciroppo:** syrup
- **guarire:** to heal
- **punizione:** punishment
- **cattivo:** nasty
- **pentirsi:** to regret
- **commettere:** to commit
- **alle spalle:** in the back
- **per colpa di:** due to
- **golosità:** gluttony

Questions about the story

1. **Chi accompagna Giacomo alla festa patronale?**

   a) Sua mamma Lidia

   b) Sua zia Lorella

   c) Sua sorella Lana

   d) Sua cugina Liana

2. **Quali gusti sceglie Giacomo per il suo gelato?**

   a) Cioccolato, banana, crema

   b) Cioccolato, fragola, banana

   c) Cioccolato, fragola, crema

   d) Crema, cioccolato, pistacchio

3. **In che modo Giacomo riesce ad acquistare un secondo gelato?**

   a) Convincendo sua madre a comprarglielo

   b) Inventando una scusa per comprarlo di nascosto

   c) Rubandolo mentre il gelataio era di spalle

   d) Chiedendolo al gelataio di regalarglielo

4. **Cosa succede a Giacomo dopo che mangia il secondo gelato?**

   a) Inizia a vomitare per due ore

   b) Va in bagno e ci rimane per molto tempo

   c) Ha mal di stomaco e una forte nausea

   d) Non gli succede nulla

5. **Come decide Lidia di punire suo figlio?**

   a) Mandandolo a letto senza cena

   b) Sgridandolo davanti al papà

   c) Togliendogli i videogiochi per un mese

   d) In nessun modo

Answers

1) A
2) C
3) B
4) C
5) D

Chapter 15

UN COMPUTER BIRICHINO

Il signor Bianchi era **abituato** a lavorare al computer: siccome di lavoro faceva l'**architetto**, passava le sue giornate nel suo **studio** a progettare case su un programma che suo figlio Simone, appassionato di **programmazione**, aveva creato **appositamente** per lui.

Era una **tranquilla** mattina di agosto: il signor Bianchi si trovava, come al solito, nel suo studio **a dispetto del** caldo e della tentazione di andare in **vacanza**.

Doveva consegnare un **progetto entro** due giorni, e voleva essere sicuro di **essere in grado di** terminare tutto **entro** la **scadenza**: del resto, era **famoso** non solo per la sua **bravura**, ma anche per la sua **velocità** nel **portare a termine** i lavori che gli venivano **commissionati**.

Si trattava di un progetto per un **palazzo di trenta piani** che avrebbe dovuto essere costruito a Milano: era stata una **ditta** prestigiosissima a commissionarglielo, e il signor Bianchi non si era certo lasciato **sfuggire** quell'occasione.

Ne avrebbe **giovato** non solo il suo **portafogli**, ma anche la sua **fama** di architetto. Il signor Bianchi era molto conosciuto in città, e tutti lo **stimavano** e **rispettavano**.

Verso le 11 del mattino, l'architetto aveva già terminato la **struttura** base sulla quale stava lavorando; entro un paio d'ore, avrebbe portato a termine anche gli ultimi **dettagli**, e il lavoro si sarebbe potuto definire completo.

"Andrò a prendermi un caffè. Questo progetto **richiede** tantissime energie e quelle di questa mattina sono quasi esaurite". Il signor Bianchi, quindi, si alzò dalla sua **scrivania**, si infilò le **scarpe** e uscì per andare al bar vicino casa sua, dove lo aspettava il **barista** Sergio.

I due si conoscevano piuttosto bene perché avevano **frequentato** il **liceo** insieme e, oltretutto, il signor Bianchi andava **praticamente** ogni mattina a bere il suo solito caffè.

"Un **caffè macchiato** con **cornetto** al cioccolato. Il solito **insomma**". Disse il signor Bianchi sorridendo a Sergio, che gli **preparò** tutto in pochi minuti.

Dopo aver mangiato il cornetto, bevuto il caffè e letto le **ultime notizie** sul giornale che si trovava sul tavolino, il signor Bianchi **appoggiò** le **monete** sul **bancone**, **salutò** Sergio e tornò a casa per rimettersi al lavoro.

Il signor Bianchi **saliva le scale** con calma. Era di **ottimo** umore. "Questa pausa era proprio ciò che ci voleva. "Ora posso terminare il lavoro. Quando avrò finito, lo invierò al signor Rossi che mi farà sapere se è di suo **gradimento**. **Spero** proprio che gli piaccia."

Dopo pochi **secondi**, il signor Bianchi si era già **tolto** le scarpe ed era tornato nel suo studio. Si **sedette**. Notò che il computer era spento.

"Che strano. Ero **convinto** di aver lasciato il computer acceso." **Premette** il tasto di accensione, ma il computer non reagì. A quel punto, il signor Bianchi iniziò ad **andare nel panico**.

Premette il tasto una seconda volta e, con grande **sollievo** dell'architetto, il computer si accese. "Che **fortuna**! Se il computer si fosse rotto, sarei stato **rovinato**. Tutti questi giorni di lavoro sarebbero stati totalmente **inutili**."

Per essere sicuro di poter continuare il suo lavoro **indisturbato**, l'architetto andò a controllare se il suo progetto era **esattamente** come l'aveva lasciato. Aprì la **cartella** "Lavori", nella quale salvava sempre le sue **creazioni** e, con grande **sgomento**, vide che il progetto al quale aveva lavorato solo pochi minuti prima era **sparito**.

Ci mancò poco che il signor Bianchi non **cadde dalla sedia!** Andò subito a controllare se per sbaglio non avesse creato il file in un'altra cartella, ma di esso non c'era alcuna **traccia**. Passò una buona **mezzora** a cercare di capire dove il file fosse andato a finire, ma proprio non **riuscì** più a trovarlo.

La sua unica speranza era suo figlio Simone, lo stesso che aveva **creato** il **programma** che l'architetto utilizzava per **progettare**. Il ragazzo si trovava in camera sua a giocare ai videogiochi, quindi **bastava** semplicemente dirgli di venire a **dare un'occhiata**.

"Simone, potresti **darmi una mano** con il computer? Il progetto al quale stavo lavorando è sparito!" Il signor Bianchi stava per mettersi a **piangere**, era **terrorizzato!** Non poteva credere che il suo lavoro fosse **sparito nel nulla**.

"Certo papà. Dimmi, cosa è successo?" Simone si alzò subito dalla sua scrivania e, insieme a suo padre, si **diresse** verso lo studio. "La cartella nella quale salvo i lavori è **vuota**, ho perso tutto! Sono sceso a prendere un caffè al bar di Sergio. Quando sono tornato ho trovato il computer spento, poi ho cercato di aprire il lavoro ma non c'era più." Disse il signor Bianchi sempre più **preoccupato**.

"È molto importante, Simone. Ci ho lavorato a lungo, avevo quasi finito tutto. Dovevo solo **rifinire** i dettagli." "Non preoccuparti, papà. **Sistemerò** tutto." Disse Simone con un **sorriso** gentile.

Quindi Simone iniziò a **digitare** dei codici sul computer. Il ragazzo era un vero e proprio **mago** con i computer: riusciva a creare di tutto e, ogni volta che i suoi genitori **combinavano** qualche **disastro**, cancellando documenti o **navigando** in pagine internet **pericolose**, lui era sempre stato in grado di sistemare tutto.

"**Allora...**" disse Simone dopo pochi minuti, "**a quanto pare**, il computer si è spento mentre eri al bar. Non avevi **salvato** il lavoro che hai svolto stamattina, quindi molte cose potrebbero essere andate perdute." Il signor Bianchi **stava in piedi** accanto a suo figlio "C-cosa vuol dire?" Gli **tremavano** le mani.

"Per fortuna che ho pensato proprio a tutto!" Disse Simone con un grande sorriso: "Siccome so che il mio **paparino** è un po' **imbranato** con i computer e, oltretutto, ne ha uno che si spegne **in continuazione**, ho creato un programma che salva **automaticamente** ogni modifica.

Però, a quanto pare, **invia** il documento in un'altra cartella, che ora si trova sul mio computer. Non sarebbe dovuto **succedere**. **Sistemerò** la cosa, ma forse è meglio così: il mio computer è nuovo e non si spegne mai da solo. Devi **comprarne** uno nuovo, papà."

"Quindi, Simone, il mio lavoro è sul tuo computer? Non ho perso nulla?" Il signor Bianchi **era diventato** felice **tutt'un tratto**. "Certo, basta che te invii via mail al tuo indirizzo e potrai **scaricarlo** per continuare a lavorarci." **Confermò** Simone.

Il signor Bianchi **fece un salto di gioia**: non aveva perso per sempre il suo lavoro, quindi poteva terminarlo e consegnarlo quel giorno stesso. Sapeva però che, **probabilmente**, Simone aveva ragione: aveva bisogno di un computer nuovo che non si spegnesse **all'improvviso**.

Quanto a Simone, **smise** di giocare ai videogiochi per sistemare il programma utilizzato da suo padre.

Riassunto della storia

Il signor Bianchi è un architetto che sta lavorando ad un progetto molto importante per la sua carriera. Decide di fare una pausa al bar sotto casa, ma al suo ritorno trova il computer spento. Quando cerca il suo lavoro per continuarlo, non lo trova. Per sistemare le cose, dovrà chiedere aiuto a suo figlio Simone.

Summary of the story

Mr. Bianchi is an architect who is working on a project that is crucial for his career. After taking a break at a café which is near his house, he discovers that his computer has turned off. When he searches for his project to continue it, he does not find it. He asks his son Simon to help him fix things.

Vocabulary

- **abituato:** accustomed
- **architetto:** architect
- **studio:** study
- **programmazione:** programming
- **appositamente:** specifically
- **tranquillo:** quiet
- **a dispetto di:** in spite of
- **vacanza:** holidays
- **progetto:** project
- **entro:** by
- **essere in grado di:** to be able to
- **scadenza:** deadline
- **famoso:** popular
- **bravura:** skill
- **velocità:** speed
- **portare a termine:** to accomplish
- **commissionato:** commisioned
- **palazzo di trenta piani:** thirty-story building
- **ditta:** enterprise
- **sfuggire:** to miss
- **giovare:** to benefit
- **portafogli:** wallet
- **fama:** fame
- **stimare:** to esteem
- **rispettare:** to respect
- **struttura:** building
- **dettagli:** details
- **richiedere:** to require
- **scrivania:** desk
- **scarpe:** shoes
- **barista:** bartender
- **frequentare:** to attend
- **liceo:** high school
- **praticamente:** basically
- **caffè macchiato:** macchiato
- **cornetto:** croissant
- **insomma:** in short
- **preparare:** to make
- **ultime notizie:** latest news
- **appoggiare:** to place
- **monete:** coins
- **bancone:** counter
- **salutare:** to greet
- **salire le scale:** to climb stairs
- **ottimo:** great
- **gradimento:** approval
- **sperare:** to hope
- **secondo:** according to
- **togliersi:** to take off
- **sedersi:** to sit down
- **convinto:** convinced

- **premere:** to push
- **andare nel panico:** to panic
- **fortuna:** luck
- **sollievo:** relief
- **rovinato:** ruined
- **inutile:** useless
- **indisturbato:** undisturbed
- **esattamente:** exactly
- **cartella:** folder
- **creazione:** creation
- **sgomento:** shock
- **sparire:** to disappear
- **cadere dalla sedia:** to fall off a chair
- **traccia:** trace
- **mezzora:** half hour
- **riuscire:** to succeed
- **creare:** to create
- **programma:** program
- **progettare:** to design
- **bastare:** to be sufficient
- **dare un'occhiata:** to have a look
- **dare una mano:** to lend a hand
- **piangere:** to cry
- **terrorizzato:** scared
- **sparito nel nulla:** to vanish into thin air
- **dirigersi:** to head to
- **vuoto:** empty
- **preoccupato:** worried
- **rifinire:** to perfect
- **sistemare:** to fix
- **sorriso:** smile
- **digitare:** to type
- **mago:** magician
- **combinare:** to make
- **disastro:** disaster
- **navigare:** to browse
- **pericoloso:** dangerous
- **allora:** so
- **a quanto pare:** it looks like
- **salvare:** to save
- **stare in piedi:** to stand
- **tremare:** to quiver
- **paparino:** daddy
- **imbranato:** awkward
- **in continuazione:** continuously
- **automaticamente:** automatically
- **inviare:** to send
- **succedere:** to occur
- **sistemare:** to fix
- **comprare:** to buy
- **diventare:** to become
- **tutt'un tratto:** all of a sudden
- **scaricare:** to download

- **confermare:** to confirm
- **fare un salto di gioia:** to be very happy
- **probabilmente:** probably
- **all'improvviso:** suddenly
- **quanto a:** as for
- **smettere:** to quit

Questions about the story

1. **Qual è il nome del signor Bianchi?**

   a) Simone

   b) Sergio

   c) Paolo

   d) Non lo sappiamo

2. **Come si chiama il committente del lavoro al quale il signor Bianchi sta lavorando?**

   a) Signor Bianchi

   b) Signor Simonetti

   c) Signor Rossi

   d) Sergio

3. **Cosa scopre il signor Bianchi al ritorno dal bar?**

   a) Che il lavoro è andato perso

   b) Che il computer si è rotto

   c) Che il computer si è spento

   d) Che il lavoro è stato assegnato ad un altro architetto

4. **Che fine ha fatto il lavoro del signor Bianchi?**

   a) È andato perso

   b) È stato spostato su un altro computer

   c) È stato infettato da un virus

   d) È stato inviato al committente ancora incompleto

5. **Chi ha creato il programma sul quale il signor Bianchi lavora?**

   a) Suo figlio Simone

   b) Il signor Bianchi

   c) Il barista Sergio

   d) Il signor Rossi

Answers

1) D
2) C
3) C
4) B
5) A

Chapter 16

UN REGNO IN PERICOLO

In un tempo di cui si è ormai persa ogni **traccia**, sulla Terra viveva ogni **genere** di **mostri**. Alcuni di questi erano **buoni**: aiutavano i **contadini** a **raccogliere** il **grano**, altri partecipavano alle **battute di caccia** e altri ancora erano abili **guaritori**.

Tuttavia, non mancavano anche i mostri **cattivi**, e tra questi c'era un **drago** che **minacciava** in continuazione sia i poveri contadini sia le loro **coltivazioni**. Quando era particolarmente affamato, **rapiva** i bambini per mangiarli.

Più volte i contadini si erano **rivolti** al re **supplicandolo** di fare qualcosa per fermarne gli **attacchi**, ma tutti i suoi provvedimenti erano stati vani. Anche i più abili e coraggiosi cavalieri **fuggivano a gambe levate** non appena lo vedevano; al massimo, riuscivano a **resistere** fino a quando il drago non iniziava a **sputare fuoco**.

Un giorno, il re si era convinto che era necessario l'aiuto di un **professionista**. Fece chiamare a corte il più **famoso** cacciatore di mostri, Alexander, che aveva già ucciso cinque draghi ed **innumerevoli** altri mostri.

Alexander si era allenato **duramente** per arrivare a tale **livello** e, nonostante **provenisse** da un'**umile** famiglia di contadini, **sapeva il fatto suo**. Sapeva che quella che aveva scelto non era una vita semplice, ma doveva ammettere che era molto **redditizia** e, soprattutto, che ogni combattimento gli dava una carica di **adrenalina indescrivibile**.

"Sire, ucciderò il drago, ve lo garantisco. Ma non dovrete pagarmi per i miei **servigi**: ucciderlo è un **dovere morale** perché la vita e il futuro di tutti noi sono in pericolo."

Il re rimase molto **sorpreso** da queste parole: gli era giunta voce che Alexander aveva più volte rifiutato pagamento per l'uccisione di vari mostri. Re Hork credeva che quello sarebbe stato un caso **eccezionale** data la difficoltà dell'**impresa**, ma nulla sembrava **intaccare** l'altissimo **senso morale** del cacciatore di mostri.

"D'accordo. Permettimi comunque di **insistere**: se non vuoi il denaro come **compenso**, voglio almeno che, **qualora** riuscissi nell'impresa, diventassi il mio **primo consigliere**." A queste parole, il primo consigliere del re **impallidì** leggermente, ma rimase in silenzio.

Alexander **acconsentì** e, con un **inchino**, uscì dal **palazzo reale**.

I contadini avevano saputo che Alexander era stato **ingaggiato** da re per quella **pericolosissima** missione: tutti si erano **radunati** in strada e, mentre Alexander passava, gli urlavano **incoraggiamenti**. Alcuni gli davano addirittura dei **talismani** che lo avrebbero protetto dagli attacchi magici del mostro.

Alexander ringraziava tutti per loro sostegno. Tra la folla, **scorse** anche i propri genitori e la sorellina di appena tre anni. Sua madre aveva le **lacrime** agli occhi, mentre suo padre, un uomo piccolo e **magro**, guardava suo figlio **orgogliosamente**. Keira, la sua sorellina, gli diede anche lei un talismano.

Una volta uscito dal **villaggio**, Alexander iniziò a pensare esclusivamente alla sua missione.

Il cacciatore pensò di mettersi in marcia verso la **tana** del drago. Sapeva benissimo dove questa si trovasse, perché da diversi mesi ormai il cacciatore studiava i movimenti del drago. Ora che doveva ucciderlo, tutto ciò si rivelava **fondamentale** anche per l'**elaborazione** di una **strategia**.

Innanzitutto, bisognava **privare** il drago della possibilità di **volare**: in questo modo, sarebbe stato più facile **colpirlo** e, quindi anche ucciderlo. Inoltre, siccome la tana del grado si trovava in cima ad una **montagna**, Alexander doveva **attirarlo** in un luogo dove sarebbe stato più facile combattere per lui: se **fosse caduto** dalla montagna, non solo **avrebbe fallito** la missione, ma avrebbe rischiato anche di farsi molto male.

Alexander iniziò subito a **mettere in atto** il suo piano: una volta giunto ad una **radura** ben lontana dal villaggio, preparò un **unguento** che avrebbe attirato il drago. Quando questo sarebbe stato abbastanza vicino, avrebbe agito anche da sonnifero. A quel punto avrebbe iniziato a colpirlo.

Successivamente, posizionò sulla sua **spada** i talismani che gli erano stati dati dagli abitanti del villaggio: sul **pomo** della spada mise il talismano che gli aveva dato Keira. Era **convinto** che, in questo modo, sarebbe riuscito nella sua impresa.

Sparse l'unguento su una piccola **porzione** della radura, successivamente **si nascose** dietro una grossa **roccia** ed iniziò ad aspettare l'arrivo del drago. Dopo poche ore, Alexander sentì il **rumore** di **ali** che **svolazzavano**: alzò lo sguardo e vide che il drago stava arrivando. Quando il mostro **atterrò**, Alexander vide che, dopo pochi secondi, era già caduto in un sonno **profondo**.

Il piano sembrava funzionare. Alexander uscì lesto da dietro la roccia, **sguainò** la spada e, per prima cosa, **recise** le ali del drago in modo che, se si fosse svegliato, non avrebbe potuto volare via. Grazie ai talismani, la spada era così tagliente che le ali caddero a terra in un **battibaleno**.

Ormai sicuro di avere la **vittoria** in tasca, Alexander decise di dare il **colpo di grazia** al drago: non solo questo sarebbe morto senza **soffrire**, ma il cacciatore sarebbe stato sicuro di non **mettere inutilmente a rischio** la sua vita.

Senza **indugio**, impugnò la spada con **entrambe** le mani: l'alzò in cielo e diede un unico colpo deciso sul **collo** del drago. La testa **rotolò** poco lontano. Alexander ce l'aveva fatta: il regno e tutti i suoi abitanti erano salvi!

Il cacciatore raccolse la testa del mostro con l'intenzione di mostrarla al re come **prova** di aver compiuto la sua missione. Si mise subito in marcia verso il palazzo e chiese di essere ricevuto.

Pochi istanti dopo, Alexander si trovava nella **sala del trono**. "Ho compiuto la missione, **maestà**. Ho fatto come avete chiesto", disse mostrando la testa a re Hork. "Il drago non **disturberà** più il vostro regno", aggiunse il cacciatore con un sorriso **fiero**.

"Alexander, voglio che tu capisca quanto io ti sia **riconoscente**. Se non vuoi denaro in cambio mi sta bene, ma permettimi di donarlo alla tua famiglia. Siete sempre stati molto poveri, e vorrei che la piccola Keira abbia l'opportunità di **condurre** una vita migliore."

Alexander rimase **sconcertato** da quella proposta, ed accettò senza pensarci due volte. Vedere la sua famiglia felice era ciò che più gli **stava a cuore**.

Il giorno dopo, Alexander era già diventato il primo consigliere del re. Aveva abbandonato la sua **carriera** da cacciatore di mostri, con grande sollievo dei suoi genitori, ed aveva iniziato ad **addestrare** i ragazzi desiderosi di **seguire le sue orme**.

Riassunto della storia

Un drago minaccia il regno di re Hork, distruggendo i raccolti e rapendo i bambini. Il re decide quindi di assoldare Alexander, un cacciatore di mostri. Egli non desidera alcun compenso per la sua impresa, quindi il re gli offre di diventare il suo primo consigliere. Alexander inizia a pensare ad una strategia per uccidere il drago, forte anche dei talismani regalatigli dagli abitanti del villaggio e dalla sua sorellina Keira.

Summary of the story

A dragon, which destroys all plantations and kidnaps children, threatens King Hork's reign. The King decides to recruit Alexander, a monster hunter. He desires no payment for his feat, so the King offers him the chance to become his first counselor. Alexander starts to think about a strategy to kill the dragon, and also thanks the talismans that the village inhabitants and his little sister Keira had given him.

Vocabulary

- **traccia:** trace
- **genere:** kind
- **mostro:** monster
- **battuta di caccia:** hunting trip
- **guaritore:** healer
- **cattivo:** evil
- **drago:** dragon
- **minacciare:** to threaten
- **coltivazione:** plantation
- **rapire:** to kidnap
- **rivolgersi:** to address
- **supplicare:** to beg
- **attacco:** to attack
- **fuggire a gambe levate:** to run away
- **resistere:** to resist
- **sputare fuoco:** to breathe fire
- **professionista:** professional
- **famoso:** popular
- **innumerevoli:** countless
- **duramente:** hard
- **livello:** level
- **provenire:** to come from
- **umile:** humble
- **sapere il fatto suo:** to seem capable

- **redditizio:** profitable
- **adrenalina:** adrenaline
- **indescrivibile:** indescribable
- **servigi:** service
- **dovere morale:** moral duty
- **sorpreso:** surprised
- **eccezionale:** exceptional
- **impresa:** feat
- **intaccare:** to undermine
- **senso morale:** moral sense
- **insistere:** to insist
- **compenso:** payment
- **qualora:** if
- **primo consigliere:** first counselor
- **impallidire:** to go pale
- **acconsentire:** to agree
- **inchino:** bow
- **palazzo reale:** royal palace
- **ingaggiare:** to recruit
- **pericolosissimo:** very dangerous
- **radunato:** gathered
- **incoraggiamento:** encouragement
- **talismano:** talisman
- **scorgere:** glimpse
- **lacrima:** tear

- **magro:** thin
- **orgogliosamente:** proudly
- **villaggio:** village
- **tana:** lair
- **fondamentale:** fundamental
- **elaborazione:** elaboration
- **strategia:** strategy
- **privare:** to deprive
- **volare:** to fly
- **colpire:** to hit
- **montagna:** mountain
- **attirare:** to lure
- **cadere:** to fall off
- **fallire:** to fail
- **mettere in atto:** to enact
- **radura:** clearing
- **unguento:** unguent
- **spada:** sword
- **pomo:** knob
- **convinto:** confident
- **spargere:** to spread
- **porzione:** part
- **nascondersi:** to hide
- **roccia:** rock
- **rumore:** noise
- **ali:** wings
- **svolazzare:** to flatter
- **atterrare:** to land

- **profondo:** deep
- **sguainare:** to unsheathe
- **recidere:** to cut off
- **battibaleno:** twinkling
- **vittoria:** victory
- **colpo di grazia:** coup de grace
- **soffrire:** to suffer
- **mettere a rischio:** to put at risk
- **indugio:** hesitation
- **entrambe:** both
- **collo:** neck
- **rotolare:** to roll
- **prova:** proof
- **sala del trono:** throne room
- **maestà:** majesty
- **disturbare:** to disturb
- **fiero:** proud
- **riconoscente:** grateful
- **condurre:** to lead
- **sconcertato:** baffled
- **stare a cuore:** to care for
- **carriera:** career
- **addestrare:** to train
- **seguire le orme:** to follow in the footsteps

Questions about the story

1. **Perché il drago minaccia il regno?**

   a) Volando spazza via le case

   b) Incendia tutte le coltivazioni

   c) Distrugge le coltivazioni e rapisce i bambini

   d) Rapisce gli abitanti del villaggio

2. **Cosa offre re Hork ad Alexander come compenso?**

   a) Diventare il primo consigliere

   b) Denaro

   c) Sua figlia in sposa

   d) Nulla

3. **Dove posiziona Alexander il talismano che gli ha dato Keira?**

   a) Sulla lama della spada

   b) Sul pomo della spada

   c) Sul braccio

   d) Sulla punta della spada

4. **Cosa fa Alexander con la testa del drago?**

   a) La porta come trofeo ai genitori

   b) La porta come trofeo alla sorellina

   c) La porta come trofeo al re

   d) La porta come trofeo personale

5. **Cosa succede alla fine della storia?**

   a) Alexander rifiuta di diventare il consigliere del re e continua a fare il cacciatore

   b) Keira diventa cacciatrice di mostri

   c) Il padre di Alexander diventa ricco

   d) Alexander diventa l'addestratore dei nuovi cacciatori di mostri

153

Answers

1) C
2) A
3) B
4) C
5) D

Chapter 17

UNA BRUTTA GIORNATA

Era una **piovosa** giornata di novembre, e Nicola stava tornando a casa **a piedi** da lavoro. Non era un giorno particolarmente **felice** per il ragazzo: la sua **fidanzata** Marisa l'aveva appena **lasciato** per un altro ragazzo.

Nicola aveva davvero il cuore **spezzato**: Marisa era tutta la sua vita, e il fatto che l'avesse lasciato per **messaggio** l'aveva davvero ferito. Avrebbe preferito che l'avesse fatto guardandolo negli occhi, ma la ragazza non era mai stata particolarmente **coraggiosa**.

Arrivato sotto la **tettoia**, Nicola chiuse l'**ombrello**, lo mise nel portaombrelli, dopodiché prese le **chiavi** dallo zaino ed entrò a casa. Si tolse immediatamente la **giacca** e la mise sull'appendiabiti. Accese subito il **sistema di riscaldamento** perché faceva davvero freddo per farsi un bel **bagno** rilassante.

Quella giornata era stata aggravata anche dallo stress che Nicola aveva dovuto subire a lavoro: il suo **capo**, infatti, l'aveva ripreso più volte. Oltretutto, i suoi **colleghi** non erano minimamente interessati a **dargli una mano**.

Nicola era **giovane**, aveva appena venti anni e aveva iniziato a lavorare da un **paio** di mesi. Ogni volta che veniva **ripreso** dal suo capo si sentiva **sprofondare**, e riusciva a trovare **conforto** solamente in Marisa.

Quel giorno, però, non c'era nessuno con cui poteva **sfogarsi**. I suoi genitori vivevano **lontani** e da un po' di tempo erano con la **linea**

155

telefonica funzionante fuori uso; la sua, ragazza, invece, non lo voleva più.

"Che giornata...", disse Nicola **sottovoce**. Guardò l'orologio: erano le sei e mezza. Tra poco sarebbe arrivato il **momento** di iniziare a preparare la **cena**. Nicola era un ottimo **cuoco**: da quando era andato a vivere **da solo**, aveva imparato a preparare un'infinità di **ricette**.

"Questa sera mi preparerò un bel piatto di spaghetti alla carbonara", annunciò il ragazzo. Nicola **amava** quel piatto: nella sua **semplicità**, era così **gustoso** e **sostanzioso** che non poteva fare a meno di sentirsi felice dopo averlo mangiato.

Siccome era una ricetta davvero **veloce** da preparare, il ragazzo andò prima a farsi un bel bagno. Dopo cena, **si sarebbe rilassato** davanti alla TV con la **replica** di una partita della sua **squadra del cuore**.

Era passato diverso tempo da quando non ne vedeva una: a Marisa non piaceva il calcio e, **siccome** le partite c'erano solo il weekend, lui era **costretto** a scegliere tra la sua fidanzata e la squadra per cui tifava. Da **perfetto** innamorato, Nicola finiva per scegliere la prima.

Mentre faceva questi **ragionamenti**, il ragazzo si accorse di un **fetore** nauseabondo proveniente dalla cucina: guardò meglio e capì all'istante. **Si era dimenticato** di **gettare** la **spazzatura**.

Nicola **avrebbe dato qualsiasi cosa** per non dover uscire con quel freddo e quella pioggia solo per gettare la spazzatura, ma sapeva che andava fatto: **del resto**, non poteva vivere nel **sudiciume**.

Quindi, si mise le **scarpe**, indossò la giacca che aveva posato alcuni minuti prima e prese il **sacco di immondizia** che si trovava in cucina. Il **bidone** per la raccolta dei rifiuti si trovava a circa venti metri da casa sua, quindi fu un viaggio **relativamente** rapido.

Una volta arrivato al **cassonetto**, Nicola sentì un **lamento** proveniente dal basso. Fece il giro e vide che, **dietro** il cassonetto, c'era uno **scatolone** altissimo contenente un gattino **bagnato fradicio**. Era sporco e con il pelo tutto **arruffato**: con quel tempo, non sarebbe **sopravvissuto** a lungo.

Nicola rimase **sconvolto** dalla **cattiveria** di chi l'aveva **abbandonato** lì al suo destino, quindi decise di prenderlo e di portarlo a casa con sé. Era un gatto davvero **minuscolo**, e Nicola sperava non avesse le **pulci** o qualche strana **malattia**.

Una volta rientrato a casa, **esaminò** l'animaletto: nonostante fosse bagnato e sporco, il suo pelo era **soffice** e perfetto. **Probabilmente**, era stato abbandonato solo qualche ora prima.

Nicola non aveva mai posseduto un **animale domestico**, quindi non sapeva bene come occuparsene: sapeva solo che ai gatti piace molto il **pesce** e che odiano essere lavati. Tuttavia, viste le condizioni del **cucciolo**, un bagno era **d'obbligo**.

Quindi, il ragazzo prese il gattino e lo mise nel **lavandino** per lavarlo: non possedeva i **prodotti** appositi per la cura del pelo, quindi utilizzò solo dell'acqua. Dopodiché, mise il cucciolo sul **tappeto** ed accese il phon per asciugarlo. La pioggia sotto la quale era stato rischiava di fargli venire un brutto **raffreddore**.

Dopo averlo asciugato, il micio aveva un pelo **lucentissimo** e morbidissimo, ma continuava a **miagolare**: doveva essere **affamato**. Nicola andò subito a controllare di avere qualche **scatoletta di tonno** in **dispensa** e, con grandissima fortuna, scoprì che gliene erano rimaste ancora un paio.

Non sapeva quanto un gattino potesse mangiare, quindi ne aprì una e la mise in un piatto. Poi, prese una **ciotola** e la riempì d'**acqua**.

Il micetto mangiò molto velocemente e **sorseggiò** l'acqua. Dopo aver terminato il tonno, corse da Nicola e iniziò a **giocherellare** con i **lacci** delle sue scarpe.

Quel gattino era davvero **dolce**: in quel momento, poi, in cui Nicola era davvero **giù di morale**, il micio poteva **trasformarsi** in un ottimo amico.

"Non so se hai già un **nome**, ma io ti chiamerò Ricky. Ti piace?", **chiese** Nicola al gattino, che si mise a **fissarlo** con i suoi **occhioni**. Forse, non sarebbe mai stato un amico **loquace**, ma Nicola era convinto che sarebbe stato pronto ad **ascoltarlo** ogni volta ne avesse bisogno.

Il ragazzo preparò la cena e si mise a mangiare mentre il micetto, ancora **abbastanza** timido, lo osservava da sotto la **sedia**. Dopo cena, **mentre** Nicola guardava la replica della partita, Ricky **si fece coraggio** e salì sul **divano accanto** al suo nuovo **padrone**.

Anche se era stata una **pessima** giornata, Nicola era felice: quel gattino era riuscito a portargli un **barlume** di luce e di **serenità**. Aveva capito che anche un animale può essere un buon amico e che, soprattutto, si può **fare a meno** dell'abilità di parlare.

Moltissime persone avevano un cane, un gatto o un **coniglietto** come migliore amico, e non per questo erano sole: **ognuno** può scegliere il proprio migliore amico e **confidente**, e Nicola era **convinto** di averlo trovato in Ricky.

Riassunto della storia

Nicola ha avuto una brutta giornata: a lavoro, il suo capo l'ha rimproverato più volte e la sua fidanzata Marisa l'ha lasciato per un altro ragazzo. Una volta tornato a casa, Nicola va a buttare la spazzatura e scopre che, dietro il cassonetto, c'è un gattino in un grosso scatolone. Siccome piove molto forte, il ragazzo decide di prenderlo e portarlo a casa con sé.

Summary of the story

Nicola has had a terrible day. At work, his boss yelled at him many times, and his girlfriend Marisa left him for another boy. After Nicola comes home, he goes to take the garbage out and finds out that, behind the dumpster, there is a large box which contains a kitten. Since it is raining very heavily, Nicola decides to take the kitten and to adopt him.

Vocabulary

- **piovoso:** rainy
- **a piedi:** on foot
- **felice:** happy
- **fidanzata:** girlfriend
- **lasciare:** to break up
- **spezzato:** broken
- **messaggio:** message
- **coraggioso:** brave
- **tettoia:** canopy
- **ombrello:** umbrella
- **chiavi:** keys
- **giacca:** jacket
- **sistema di riscaldamento:** heating system
- **bagno:** bath
- **capo:** boss
- **collega:** colleague
- **dare una mano:** to lend a hand
- **giovane:** young
- **paio:** a couple
- **riprendere:** to scold
- **sprofondare:** to feel discouraged
- **conforto:** solace
- **sfogarsi:** to vent
- **lontano:** far away
- **linea telefonica:** telephone line
- **sottovoce:** in a low voice
- **momento:** moment
- **cena:** dinner
- **cuoco:** cook
- **da solo:** alone
- **ricetta:** recipe
- **amare:** to love
- **semplicità:** simplicity
- **gustoso:** tasty
- **sostanzioso:** substantial
- **veloce:** quick
- **rilassarsi:** to relax
- **replica:** replay
- **squadra del cuore:** favorite team
- **siccome:** since
- **costretto:** forced to
- **perfetto:** perfect
- **ragionamento:** reasoning
- **fetore:** stench
- **dimenticarsi:** to forget
- **gettare:** to throw
- **spazzatura:** garbage
- **dare qualsiasi cosa:** to give anything
- **del resto:** after all

- **sudiciume:** grime
- **scarpe:** shoes
- **sacco di immondizia:** piece of trash
- **bidone:** dustbin
- **relativamente:** relatively
- **cassonetto:** dumpster
- **lamento:** lament
- **dietro:** behind
- **scatolone:** big box
- **bagnato fradicio:** soaking wet
- **arruffato:** messy
- **sopravvivere:** to survive
- **sconvolto:** shocked
- **cattiveria:** cruelty
- **abbandonato:** abandoned
- **minuscolo:** tiny
- **pulci:** fleas
- **malattia:** disease
- **esaminare:** to examine
- **soffice:** soft
- **probabilmente:** probably
- **animale domestico:** pet
- **pesce:** fish
- **cucciolo:** puppy
- **d'obbligo:** in order
- **lavandino:** sink
- **prodotto:** product
- **tappeto:** carpet
- **raffreddore:** cold
- **lucentissimo:** very shiny
- **miagolare:** to meow
- **affamato:** hungry
- **scatoletta di tonno:** tuna tin
- **dispensa:** pantry
- **ciotola:** bowl
- **acqua:** water
- **sorseggiare:** to sip
- **giocherellare:** to play
- **laccio:** shoelace
- **dolce:** sweet
- **giù di morale:** down in the dumps
- **trasformarsi:** to become
- **nome:** name
- **chiedere:** to ask
- **fissare:** to stare at
- **occhioni:** big eyes
- **loquace:** talkative
- **ascoltare:** to listen
- **abbastanza:** quite
- **sedia:** chair
- **mentre:** while
- **farsi coraggio:** to take courage
- **divano:** sofa
- **accanto:** next to
- **padrone:** owner
- **pessimo:** terrible

- **barlume:** glimpse
- **serenità:** serenity
- **fare a meno:** to do without
- **moltissime persone:** a lot of people

- **coniglietto:** bunny
- **ognuno:** everyone
- **confidente:** confidant
- **convinto:** convinced

Questions about the story

1. **Come si chiama l'ex ragazza di Nicola?**

   a) Maria
   b) Marika
   c) Marina
   d) Marisa

2. **Cosa mangia Nicola per cena?**

   a) Spaghetti con le vongole
   b) Spaghetti alla carbonara
   c) Spaghetti con le polpette
   d) Spaghetti all'amatriciana

3. **Dove si trova il gattino che Nicola decide di adottare?**

   a) In una cuccia davanti casa sua
   b) In uno scatolone dietro il cassonetto
   c) In uno scatolone davanti casa sua
   d) In una cuccia dietro il cassonetto

4. **Cosa dà da mangiare Nicola al micio?**

   a) Una scatoletta di tonno
   b) La pasta alla carbonara che aveva preparato anche per sé
   c) Una scatoletta di fagioli in scatola
   d) Del tonno cucinato sul momento

5. **Quale nome dà Nicola al suo nuovo amico?**

   a) Nicky
   b) Ricky
   c) Micky
   d) Sticky

Answers

1) D
2) B
3) B
4) A
5) B

Chapter 18

UNA NUOVA VITA

Michela aveva ventidue anni e si era laureata da poco alla facoltà di **architettura** con centodieci e lode. È sempre stata una ragazza piuttosto **riservata** e **timida**, e il suo **carattere** l'ha portata più volte a lasciarsi scappare **opportunità** anche abbastanza importanti.

Ad esempio, qualche mese prima della sua laurea, una famosa **agenzia** l'aveva contattata per il **ruolo** di segretaria: il suo nome era stato **raccomandato** da uno dei professori di Michela che, ritenendola una studentessa molto **diligente**, era convinto potesse essere una buona segretaria.

Tuttavia Michela, che tende sempre a **sottovalutare** le sue **capacità**, rifiutò l'offerta dicendo di non essere la persona **indicata** per quel posto di lavoro.

Una volta laureata, era arrivato il momento di trovarsi un lavoro: a quell'età, desiderava andare a vivere **da sola** e trovare una propria **indipendenza**, sia **economica** sia personale. Infatti, non le era mai piaciuto il fatto che fossero i suoi genitori a **pagarle** gli studi.

Siccome però **rifiutava** ogni proposta di lavoro perché non si riteneva **all'altezza**, non poteva essere lei a **sostenere** le spese necessarie.

Subito dopo la festa di laurea, Michela si era convinta, e si disse "Non lascerò più che i miei genitori mi paghino tutto. Hanno fatto moltissimi **sforzi** per me, ed è giusto che ora inizi a fare la mia parte".

Così, il giorno **successivo**, la ragazza iniziò ad inviare il suo **curriculum** a varie aziende. Si proponeva sia come **segretaria** sia come **architetta**.

Non passò molto tempo dalla prima chiamata. Quando il cellulare iniziò a **squillarle** e vide il numero che la chiamava (aveva **registrato** il numero di telefono di tutte le **imprese** alle quali aveva inviato il curriculum), quasi ebbe un **mancamento**.

Tuttavia, non poteva permettersi di non rispondere: era **determinata** a trovare un lavoro, quindi si fece coraggio e premette il tasto per accettare la **chiamata**. "Pronto?" disse con una voce abbastanza **tremolante**. "Parlo con la signorina Musumeci?", chiese la voce **femminile** dall'altra parte.

"Sì, sono io." Michela cercava di sembrare più **risoluta**, ma i suoi sforzi non portavano un grande risultato. La voce a telefono era molto **rassicurante**: "Abbiamo dato un'occhiata al suo curriculum e siamo interessati ad avere un **colloquio** con lei. È disponibile domani mattina alle 9:30?"

Michela era confusa: stava succedendo tutto così **velocemente**, e le servì un momento per raccogliere le forze per poter dire "C- c- certo... alle 9:30 alla vostra sede principale, allora?" Non aveva risposto nel modo migliore, ma lì per lì era l'unica cosa venutale in mente.

"Certo signorina. Ci vediamo domattina allora. Le auguro una buona giornata", e la voce **riattaccò**.

Michela era davvero **euforica**: se tutto fosse andato bene, il giorno successivo avrebbe avuto il suo primissimo **contratto di lavoro**.

Siccome era una persona piuttosto **scaramantica**, decise di non dire nulla ai suoi genitori: non perché non volesse far sapere loro nulla, ma perché, se il colloquio fosse andato male, non avrebbe voluto vedere i loro volti **rattristati**.

Non perché sarebbero stati delusi della loro bambina, ma perché **temevano** per la sua **autostima**, che già non **era alle stelle**.

Il giorno successivo, un martedì, Michela si alzò ed iniziò a **prepararsi**. Fece colazione, si lavò il viso ed i denti ed iniziò a **truccarsi**. Si truccò in maniera molto leggera, perché voleva che ad attirare l'attenzione fossero le sue capacità e non il suo **aspetto**.

In più, in un colloquio di lavoro, un trucco troppo **appariscente** non sembra convincere molto chi si ha davanti.

Accese la macchina e si mise in marcia. In venti minuti, era arrivata a destinazione: **parcheggiò** poco lontano ed entrò nel grande palazzo. "Buongiorno. Ho un **appuntamento** per un colloquio di lavoro. Sono Michela Musumeci", disse alla **signora** alla reception.

"Buongiorno a lei. Per i colloqui deve prendere l'**ascensore** e scendere al terzo piano. Dopodiché, giri subito a destra e troverà delle **sedie**. Può aspettare lì", rispose la signora senza sorridere.

Non era **maleducata** nell'**atteggiamento**, ma c'era qualcosa che metteva a disagio Michela. Comunque, fece come la signora le aveva spiegato. Prese l'ascensore, scese e girò a destra.

Una volta seduta, Michela guardò l'**orologio** che aveva al **polso**: erano appena le 9:10. Dopo un paio di minuti, davanti a lei passò una signora che le disse con un grande **sorriso** "Lei è la signorina Musumeci, vero?"

Il suo atteggiamento rassicurò la ragazza. "Sì, sono io", riuscì a dire con un bel sorriso anche lei e con una voce non tremolante come al suo solito. "Prego, entri", la **invitò** ad entrare la signora.

Una volta entrate nello studio, **entrambe** si sedettero. La signora era dietro la **scrivania**. "Io sono la signora Bianchi. Dirigo il reparto delle **risorse umane** e l'ho contattata dopo aver **dato un'occhiata** al suo curriculum perché abbiamo bisogno di una nuova segretaria."

"Cerchiamo una persona **capace**, meglio se con esperienza e che, soprattutto, sia educata, **solare** e gentile. Forse avrà notato che la nostra attuale segretaria non rispetta questi ultimi tre requisiti", disse la signora Bianchi con un **sorrisetto**.

Michela riuscì a mantenere la calma e a non farsi **sopraffare** dall'emozione. "Capisco. Io mi sono laureata circa una settimana fa alla facoltà di architettura. **Tuttavia**, non ho alcuna esperienza in nessun campo."

La signora Bianchi la guardò attentamente. "L'avevo già letto sul curriculum. Volevo vedere se avrebbe confermato la cosa. Per la nostra azienda, questo non è un problema. **Mi interessa** principalmente vedere che tipo di persona sia."

Dopo una breve pausa, la signora Bianchi sentenziò "Se non si sa fare una cosa, si può sempre imparare. Per quanto riguarda il carattere, **sfortunatamente**, esso a una certa età è già formato."

Michela non capiva dove la signora volesse arrivare, quindi chiese "Cosa intende signora?" e la sua **interlocutrice** ribatté "Intendo che lei, signorina Musumeci, è esattamente ciò che cerchiamo. Da quando l'ho vista, ho capito che lei è la persona giusta per come parla, per come **si comporta** e, soprattutto, per come sorride."

Michela **arrossì** leggermente: era molto **lusingata**. La signora Bianchi disse "Se lei è d'accordo, possiamo fare un primo **contratto di formazione**, della durata di sei mesi, per vedere come andrà. Se non ci saranno problemi, faremo un secondo contratto della durata di tre anni.". La signora sorrise leggermente.

Michela rispose sorridendo "Mi piacerebbe tantissimo, signora. Prometto che non la **deluderò** e che farò del mio meglio." Michela era **incredula**: non solo aveva superato la sua timidezza, ma aveva fatto una bella figura ad un colloquio di lavoro e, per di più, era stata assunta!

In due minuti, Michela aveva in mano il suo contratto ed era di ritorno a casa. Non vedeva l'ora di dare la notizia ai suoi genitori!

Riassunto della storia

Michela si è laureata da poco. È una ragazza molto timida e riservata e vorrebbe tanto trovare un lavoro. Il giorno successivo alla sua laurea, inizia ad inviare curriculum a varie aziende. Non molto tempo dopo, viene contatta da un'azienda per un colloquio. Decisa a superare la sua timidezza, si prepara per il colloquio ma, siccome è molto scaramantica, decide di non dire nulla ai suoi genitori. Proprio grazie al suo carattere otterrà il lavoro, rendendola così felice da volerlo dire ai suoi genitori il prima possibile.

Summary of the story

Michela has just gotten her degree. She is a very shy and reserved girl and she would like to find a job. The day after her graduation, she starts sending many enterprises her CV. After some time, a business contacts her for a job interview. Since she wants to overcome her shyness, Michela gets ready for the interview but, since she is a very superstitious girl, she tells her parents nothing. Thanks to her character she gets the job, making her so happy that she wants to tell her parents as soon as possible.

Vocabulary

- **architettura:** architecture
- **riservato:** reserved
- **timido:** shy
- **carattere:** character
- **opportunità:** opportunity
- **agenzia:** business, enterprise
- **ruolo:** role
- **raccomandare:** to recommend
- **diligente:** diligent
- **sottovalutare:** to underestimate
- **capacità:** skills
- **indicato:** advisable
- **da solo:** alone
- **indipendenza:** independence
- **economico:** economic
- **pagare:** to pay
- **rifiutare:** to refuse
- **all'altezza:** to be capable of something
- **sostenere:** to support
- **sforzi:** efforts
- **successivo:** following
- **curriculum:** CV
- **segretario:** assistant
- **architetto:** architect
- **squillare:** to ring
- **registrare:** to record
- **impresa:** enterprise
- **mancamento:** feeling faint
- **determinato:** determined
- **chiamata:** phone call
- **tremolante:** trembling
- **femminile:** female
- **risoluto:** resolute
- **rassicurante:** reassuring
- **colloquio:** job interview
- **velocemente:** quickly
- **riattaccare:** to hang up
- **euforico:** euphoric
- **contratto di lavoro:** job contract
- **scaramantico:** superstitious person
- **rattristato:** saddened
- **temere:** to fear
- **autostima:** self-esteem
- **essere alle stelle:** to skyrocket
- **prepararsi:** to get ready
- **truccarsi:** to put makeup on
- **aspetto:** appearance
- **appariscente:** showy
- **parcheggiare:** to park

171

- **appuntamento:** appointment
- **signora:** madam
- **ascensore:** lift
- **sedia:** chair
- **maleducata:** impolite
- **atteggiamento:** behavior
- **orologio:** clock
- **polso:** wrist
- **sorriso:** smile
- **invitare:** to invite
- **entrambi:** both
- **scrivania:** desk
- **risorse umane:** human resources
- **dare un'occhiata:** to have a look
- **capace:** skilled
- **solare:** cheerful person
- **sorrisetto:** little smile
- **sopraffare:** to overpower
- **tuttavia:** nonetheless
- **interessarsi:** to be interested in something
- **sfortunatamente:** unluckily
- **interlocutrice:** speaker
- **comportarsi:** to behave
- **arrossire:** to blush
- **lusingato:** flattered
- **contratto di formazione:** training contract
- **deludere:** to disappoint
- **incredulo:** incredulous

Questions about the story

1. **In cosa si è laureata Michela?**

    a) Lingue e letterature straniere
    b) Architettura
    c) Ragioneria
    d) Medicina

2. **Che tipo di lavoro aveva rifiutato Michela poco prima della sua laurea?**

    a) Architetto
    b) Addetta alle pulizie
    c) Segretaria
    d) Amministratore delegato

3. **Come si chiama la signora che dirige il reparto delle risorse umane?**

    a) Signora Fabrizi
    b) Signora Rossi
    c) Signora Verdi
    d) Signora Bianchi

4. **Che tipo di persona cerca l'azienda per la quale Michela fa il colloquio?**

    a) Capace, educata e gentile
    b) Professionale e molto altezzosa
    c) Maleducata ma che sa svolgere il suo lavoro
    d) Educata, anche se non sa lavorare

5. **Cosa succede alla fine del colloquio?**

    a) Michela viene assunta
    b) Michela viene mandata via
    c) Michela se ne va perché sopraffatta dalle emozioni
    d) Michela rifiuta il lavoro perché non si ritiene all'altezza

Answers

1) B
2) C
3) D
4) A
5) A

Chapter 19

UN'ESTATE IMPEGNATIVA

Mattia aveva diciassette anni e amava giocare ai **videogiochi**. Sin da piccolo, dopo aver terminato i compiti, amava trascorrere tutto il suo **tempo libero** davanti alla televisione, in **salotto,** con la sua console **preferita.**

Tuttavia, la televisione veniva **reclamata** anche dagli altri componenti della sua famiglia: sua madre Ilaria voleva guardare la sua **soap opera** preferita, suo padre Luca voleva guardare la **partita** e suo fratello maggiore Alberto voleva godersi i **documentari** sugli animali della **savana.**

Quindi, moltissime volte, era costretto a smettere di giocare per **cedere** il suo posto davanti alla televisione. Di **controvoglia,** il piccolo Mattia se ne tornava in camera sua a giocare con i **soldatini.**

Il bambino decise che, una volta essere diventato grande, avrebbe **messo da parte** un po' di soldi per riuscire a comprare una televisione tutta sua e l'ultima console disponibile sul mercato.

Quindi, raggiunti i diciassette anni, decise di trovarsi un **lavoro** part time, almeno per l'estate. In Italia non è sempre facile per i ragazzi così giovani trovare lavoro, ma Mattia aveva la **fortuna** di vivere in una grande città nella quale si cercavano sempre nuovi **lavoratori.**

A soli diciassette anni non aveva un **curriculum** (non sapeva neanche come si scrivesse!), quindi decise di procedere con la ricerca del suo nuovo lavoro semplicemente chiedendo alle varie **attività** se avessero bisogno di nuovo **personale.**

Una sera, mentre Mattia faceva una **passeggiata** sul **lungomare**, vide un **volantino** sulla porta di un ristorante "Cercasi personale, anche senza **esperienza**." Quel posto era molto conosciuto in città, e aveva un'ottima **reputazione**.

Mattia stesso ci era andato a cena un **paio** di volte con i suoi genitori. Il ragazzo capì che non poteva lasciarsi scappare quell'occasione, quindi **entrò** subito nel locale.

Non appena ebbe **varcato** la porta, si diresse verso la **cassa**, dove un uomo era intento a scrivere su un registro mentre **contava** delle **banconote**. "Salve signore, mi chiamo Mattia e sono alla ricerca di lavoro. Ho visto il suo **annuncio** di lavoro qui fuori", disse Mattia al signore.

L'uomo alzò lo sguardo solo dopo che Mattia ebbe finito di parlare, e lo guardò dritto negli occhi. "Mi sembri **abbastanza** giovane. Quanti anni hai?", chiese.

"Diciassette, signore", rispose Mattia a quella domanda che gli sembrava **banale** ma, vedendo la **reazione** dell'uomo a quella risposta, capì che forse non era quella che avrebbe dovuto dare.

"Mi sembri davvero troppo giovane, sei **sicuro** che sia la verità?", lo **sfidò** l'uomo. "Certo, se vuole le faccio vedere il mio **documento**", rispose Mattia con un **sorrisino**.

L'uomo **fece cenno** di volerlo vedere. Al che, Mattia prese il **portafogli** dal quale estrasse la **carta di identità**. Il signore esaminò il documento e guardò nuovamente Mattia, come se fosse **deluso** dal non avere ragione.

"Allora Mattia, per quanto tempo vorresti lavorare?". L'uomo aveva totalmente cambiato **atteggiamento**. Era diventato molto più **gentile**. "Guardi, io cercavo un lavoro per l'**estate**, fino all'inizio della scuola", rispose Mattia.

"Bene, è esattamente quello che cerchiamo. In estate, molti dei nostri **dipendenti** vanno in vacanza, quindi ci serve personale supplementare. Quest'anno tocca a uno dei nostri **camerieri**." Disse l'uomo senza **staccargli** gli occhi **di dosso**.

"A proposito... non mi sono ancora presentato, che **maleducato**. Mi chiamo Giovanni", disse **tendendo la mano** a Mattia, che rispose con un "Piacere mio."

"Suppongo che alla tua età tu non abbia ancora esperienza", iniziò Giovanni e, vedendo che Mattia annuiva, **proseguì**.

"Questo è un ristorante molto conosciuto in città. Penso che tu lo sappia. Abbiamo standard abbastanza alti, e vogliamo che i nostri camerieri siano **impeccabili**.

Ma non preoccuparti, sei giovane e anche **alle prime armi**, quindi **chiuderemo un occhio** davanti ai tuoi errori. Fai attenzione però a non **commetterne** troppi." Giovanni guardò nuovamente Mattia dritto negli occhi.

Il suo atteggiamento era abbastanza **intimidatorio**, ma Mattia non voleva lasciarsi scappare quel lavoro, e disse: "Va bene. Quando posso cominciare?" guardando anche lui Giovanni dritto negli occhi.

L'uomo disse "Domani sera va più che bene. Intanto facciamo il **contratto** di lavoro e ti do la **divisa**. Mi raccomando: devi essere qui non dopo le diciotto."

Il giorno dopo alle diciassette e trenta, Mattia era già al ristorante, e Giovanni iniziò a spiegargli tutti i **segreti** del mestiere. Quella prima serata fu **stremante**: più volte Mattia aveva pensato che non ce l'avrebbe fatta, per un'estate intera poi!

Le **serate** nelle quali Mattia lavorava furono tutte caldissime, un caldo torrido che portava la sua divisa ad appiccicarsi alla schiena per il **sudore**.

Mattia si **faceva una doccia** prima e dopo ogni **servizio** e cercava di mettere un bel po' di **profumo** in modo da non **emanare** cattivo odore. Per fortuna, nessuno **si lamentò** mai di nulla.

Quel lavoro lo stremava e la sera, una volta rientrato a casa, cioè verso le tre del mattino, **stramazzava** sul letto. Il giorno **successivo**, si alzava verso le undici; svegliandosi così tardi Mattia, , non aveva problemi di sonno mentre lavorava e non finiva per **sbadigliare** davanti ai clienti.

Passarono i giorni e quindi i mesi. La **scadenza** del contratto di lavoro di Mattia si avvicinava. Il ragazzo non aveva voluto mai contare i soldi che **stava guadagnando** per non finire per spenderli **inutilmente**.

Alla fine del contratto, il quindici settembre, Mattia contò i soldi che aveva guadagnato: erano **ben** 1,400 euro! Una cifra **esorbitante** per lui. Quindi, uscì di casa per andare al negozio di elettronica più vicino e acquistare ciò che l'aveva spinto a cercarsi un lavoro.

Optò per una televisione da 35 pollici e l'ultima console uscita. In tutto spese meno di 400 euro, quindi significava che gli rimaneva ancora un bel **gruzzoletto** per togliersi qualche sfizio ogni tanto, senza dover chiedere soldi ai suoi genitori.

Era davvero **fiero** di se stesso, e **non vedeva l'ora** di montare il tutto per divertirsi come non aveva mai fatto.

Quindi, mise la televisione su un **ripiano** della sua **libreria** in modo che potesse vederla anche mentre era **sdraiato** sul letto, e collegò i rispettivi **cavi**: quello della corrente, quello dell'**uscita video** e quello da collegare alla console.

Successivamente, prese quest'ultima e la collocò accanto alla televisione in modo da concentrare tutto in un **unico** spazio. Infine, Mattia collegò ancora una volta i rispettivi cavi. Tutto era pronto per iniziare a giocare. Non vedeva l'ora di divertirsi!

Dopotutto, se poteva farlo era **grazie ai** suoi sforzi e al suo sudore (in tutti i sensi!). Mattia si era sentito così **euforico** davvero poche volte in vita sua, e doveva ammettere che era una **sensazione fantastica**!

Riassunto della storia

Mattia ha diciassette anni ed è sempre stato appassionato di videogiochi. Siccome è sempre stato costretto a dover condividere l'unica televisione con gli altri membri della famiglia, decide di trovarsi un lavoro per riuscire ad acquistare una televisione tutta sua e l'ultima console uscita. Dopo aver cercato lavoro presso varie attività, Mattia riesce a trovare lavoro come cameriere presso un ristorante molto noto della sua città. Al termine della stagione si compra tutto e lo sistema in camera, con enorme soddisfazione.

Summary of the story

Mattia is seventeen years old and he has loved videogames since he was only a little boy. Since he had always been forced to share the television with the other members of his family, he decides to look for a job in order to buy a new television of his own and the latest console on the market. After having looked for a job in different businesses, Mattia starts to work as a waiter for a well-known restaurant in his city. At the end of the season he buys everything and puts it in his room, with great satisfaction.

Vocabulary

- **videogiochi:** videogames
- **tempo libero:** spare time
- **salotto:** living room
- **preferito:** favorite
- **reclamare:** to demand
- **soap opera:** soap opera
- **partita:** match
- **documentario:** documentary
- **savana:** savannah
- **cedere:** to leave
- **controvoglia:** unwillingly
- **soldatini:** toy soldier
- **mettere da parte:** to put aside
- **lavoro:** job
- **fortuna:** luck
- **lavoratore:** worker
- **curriculum:** CV
- **attività:** business
- **personale:** staff
- **passeggiata:** walk
- **lungomare:** boardwalk
- **volantino:** flier
- **esperienza:** experience
- **reputazione:** reputation
- **paio:** couple
- **entrare:** to enter

- **varcare:** to cross
- **cassa:** cash register
- **contare:** to count
- **banconota:** banknote
- **annuncio:** advertisement
- **abbastanza:** quite
- **banale:** banal
- **reazione:** reaction
- **sicuro:** sure
- **sfidare:** to defy
- **documento:** document
- **sorrisino:** slight smile
- **fare cenno:** to wave
- **portafogli:** wallet
- **carta di identità:** identity card
- **deluso:** upset
- **atteggiamento:** attitude
- **gentile:** kind
- **estate:** summer
- **dipendente:** employee
- **cameriere:** waiter
- **staccare di dosso:** to shed
- **maleducato:** impolite
- **tendere la mano:** to show sympathy
- **proseguire:** to continue
- **impeccabile:** impeccable

- **alle prime armi:** fledgling
- **chiudere un occhio:** to turn a blind eye
- **commettere:** to make
- **intimidatorio:** intimidating
- **contratto:** contract
- **divisa:** uniform
- **segreto:** secret
- **stremante:** exhausting
- **serata:** evening
- **sudore:** sweat
- **farsi una doccia:** to take a shower
- **servizio:** service
- **profumo:** fragrance
- **emanare:** to emanate
- **lamentarsi:** to lament
- **stramazzare:** to fall
- **successivo:** next
- **sbadigliare:** to yawn
- **scadenza:** expiry date

- **guadagnare:** to earn
- **inutilmente:** uselessly
- **ben:** whopping
- **esorbitante:** exorbitant
- **optare:** to opt for
- **gruzzolo:** pile
- **fiero:** proud
- **non vedere l'ora:** to be unable to wait
- **ripiano:** shelf
- **libreria:** bookcase
- **sdraiato:** to lie down
- **cavo:** cable
- **uscita video:** video output
- **successivamente:** next
- **unico:** single
- **grazie a:** thanks to
- **euforico:** euphoric
- **sensazione:** sensation
- **fantastico:** fantastic

Questions about the story

1. **Che cosa voleva guardare sua madre alla televisione, quando Mattia era piccolo?**

   a) Uno show
   b) Un documentario sugli animali della savana
   c) Una soap opera
   d) Una partita di calcio

2. **Come si chiama il ristorante nel quale Mattia inizia a lavorare?**

   a) L'ancora
   b) Il forziere del tesoro
   c) La caverna del gusto
   d) Non lo sappiamo

3. **Dopo essere entrato nel ristorante, come si chiama l'uomo con il quale Mattia inizia a parlare?**

   a) Giacomo
   b) Giovanni
   c) Giuseppe
   d) Giulio

4. **Alla fine del contratto di lavoro, quanti soldi è riuscito a mettere da parte Mattia?**

   a) 1,200 euro
   b) 1,300 euro
   c) 1,400 euro
   d) 1,500 euro

5. Quanto spende Mattia per l'acquisto della televisione e della console?

a) 400 euro

b) 500 euro

c) 600 euro

d) Non lo sappiamo

Answers

1) C
2) D
3) B
4) C
5) A

Chapter 20

UNO STRANO VICINO

Fin da quando ero piccolo, ho sempre amato la **cittadina** in cui mi sono **trasferito** da poco; ricordo che, quando avevo all'incirca quattro anni, passavo il pomeriggio a **fantasticare** sulla villa che avrei avuto quando sarei andato a viverci.

Beh, almeno sono riuscito in una parte dell'**intento**: ho un appartamento al secondo piano di un vecchio **palazzo** che dà proprio sulla **piazza principale**.

Il mio arrivo nel condominio è stato abbastanza **bizzarro**.

Appena sono arrivato, tutti i **condomini** sono venuti a salutarmi, addirittura la signora Lidia, di ottantanove anni, mi ha portato degli squisiti biscotti con gocce di cioccolato.

Mentre tutti chiacchieravamo **amabilmente**, il signore del quinto piano mi disse con tono piuttosto **intimorito**: "Peccato che tu non abbia avuto l'opportunità di conoscere anche Pietro, che abita al primo piano. Forse, però, è meglio così. È un tipo abbastanza **schivo** e, da qualche mese, mi mette un po' a **disagio** quando lo incontro al rientro da lavoro."

Rimasi un po' perplesso, ma non ci **diedi troppo peso**: del resto, ero arrivato di mercoledì pomeriggio. Probabilmente, Pietro si trovava a lavoro. Decisi, quindi, che sarei andato io a fargli visita il sabato successivo, in modo da trovarlo in casa.

Ed è così che feci.

Il sabato **successivo**, poco dopo le 16 del pomeriggio, presi il tiramisù che avevo preparato in vista della **chiacchierata** che ci saremmo fatti, e scesi le poche **scale** che mi separavano dal suo appartamento. Suonai il **campanello** e, dopo pochi istanti, la porta si **spalancò**: mi trovai davanti un uomo molto alto e piuttosto magro con uno sguardo **accigliato** che, lo ammetto, metteva a disagio anche me.

"Ehm...salve. Sono il ragazzo arrivato qualche giorno fa. Ho pensato che le avrebbe fatto piacere **conoscermi**. Le ho portato anche un dolce."

"Sono **allergico** al **lattosio**. E di solito non faccio entrare gli sconosciuti in casa."

Rimasi molto sorpreso: non avevo mai visto nessuno così diretto. **Balbettai**. "Ehm...Ehm... N-non lo sapevo. Se vuole le preparo un altro dolce e ci facciamo una bella chiacchierata."

"Non serve, non deve **scomodarsi**. Comunque, il mio nome è Pietro."

Mentre **pronunciava** queste ultime parole, dall'appartamento **giunse** un **lamento** che pensai fosse di un bambino piccolo, quindi di suo figlio. Però, non appena sentimmo quel lamento, Pietro **sbiancò** e disse velocemente "Buona giornata". Mi **sbatté** la porta in faccia senza darmi il tempo di **replicare** o di rispondergli con il mio nome.

La cosa mi aveva lasciato abbastanza **perplesso**: volevo saperne di più! Perché si comportava in modo così **strano**?

Il giorno dopo, **bussai** alla porta della signora Lidia, l'**arzilla** vecchietta che, qualche giorno prima, mi aveva portato i biscotti. "**Accomodati** caro", mi disse con un **sorriso** a (ormai) quattro **denti** non appena bussai alla sua porta. Dopo una decina di minuti, le chiesi ciò per cui ero venuto.

"Lidia, ieri ho fatto visita a Pietro, il signore del primo piano, ma si è **comportato** in modo molto strano. Per caso sai a cosa è dovuto il suo **atteggiamento**?"

"Caro, nessuno lo sa. Forse è il suo carattere, o forse ha qualcosa da nascondere. **Del resto**, tutti abbiamo i nostri **scheletri nell'armadio.**"

Bevve il tè **fumante** che si trovava nella sua tazza. "So solo che dal suo appartamento **provengono** lamenti che **somigliano** tantissimo a quelli della mia cagnolina Lilly. Sai, mi è **scappata** tre mesi fa e non è più tornata."

Rimasi in silenzio. Ripensandoci, quei lamenti erano più simili a quelli di un cane che di un bambino. Quindi dissi: "E se fosse proprio Lilly?" Lidia mi lanciò uno sguardo perplesso. "No, non credo caro. Se fosse davvero lei, sarebbe già tornata da me. Spero solo che non abbia fatto una **brutta fine.**" Dopo quelle parole, iniziarono a scenderle delle **lacrime** dagli occhi.

Non riuscivo a togliermi dalla testa l'idea che Pietro tenesse Lilly in casa, quindi decisi di **vederci chiaro**. Sarei entrato in casa sua **ad ogni costo.**

Ideai quindi uno **stratagemma** che, lo ammetto, non è proprio da "**bravo ragazzo**": siccome di **mestiere** faccio il **tecnico informatico**, riuscii ad entrare nella rete Internet di Pietro e a **manomettergli** il computer; come previsto, lui chiamò l'assistenza e, poiché viene data precedenza ai tecnici che si trovano in zona, il primo a essere chiamato fui proprio io.

Quando mi presentai alla sua porta, Pietro non **fece trasparire** nessuna emozione e mi fece entrare come se nulla fosse: pensai che forse mi ero sbagliato.

Non appena entrai, una cagnolina piccola, dal pelo lungo e dagli occhioni **vivaci**, mi corse incontro **scodinzolando**. A quel punto,

Pietro sbiancò di nuovo: "Lill-Ehm, Sissi, vieni qui, lascia stare il signore!" Ebbi la conferma di tutto. "Pietro, quindi tieni davvero Lilly in casa!"

Pietro diventò bianco come un fantasma, e alla fine **confessò** "Sì. Mi dispiace. Forse penserai che sono un **mostro**, ma ti spiegherò tutto. Lilly era scappata dalla signora Lidia qualche mese fa. Io l'ho trovata in strada, volevo **riportargliela**, ma mi sono **affezionato** tantissimo a lei e non sono più riuscito a **separarmici**."

Mi guardò. "Ora cosa farai?"

Da bambino, mi era capitata una cosa simile: un giorno, trovai il gattino dei vicini nel nostro **giardino**. Avrei dato qualsiasi cosa pur di averlo, quindi pensai bene di tenerlo in camera mia. Però, non **avevo fatto i conti** con i miei genitori che, non appena se ne **accorsero**, lo **restituirono** ai vicini.

"Pietro, ti capisco. **Fidati** di me."

Andai dalla signora Lidia e le **riferii** tutto: del resto, Lilli era la sua cagnolina, e aveva il diritto di sapere cosa ne era stato di lei.

"Davvero Lilli sta bene? Quanto sono felice!" Lidia era davvero **sollevata**. "Dì a Pietro che può tenerla se vuole. Io ormai sono **anziana**, non riesco più a **badare** a lei come si deve. È meglio per tutti che Lilli stia con Pietro."

Sorrisi. "Senz'altro, Lidia. Pietro credeva che lo avresti **denunciato** o che ti saresti **arrabbiata a morte** con lui."

"Scherzi? L'unica cosa che **conta** è che Lilly sia felice."

Lo riconosco: forse ho sbagliato a manomettere il computer di Pietro, ma ne è **valsa la pena**. Pietro è diventata un'altra persona, si è **lasciato alle spalle** il suo essere schivo, mentre la signora Lidia ora può **abbracciare** la sua Lilly, che le era mancata tanto, ogni volta che vuole. Le basta **recarsi** a casa di Pietro.

Riassunto della storia

Il protagonista si è trasferito da poco in un nuovo palazzo, in cui vivono anche Pietro, un uomo molto schivo e misterioso, e Lidia, una vecchietta che possedeva una cagnolina, Lilli che è scomparsa da ormai qualche mese. Quando il protagonista visita la casa di Pietro per presentarsi, sente un lamento, simile a quello di un cane, provenire dalla casa di quest'ultimo, che sbianca all'istante. Insospettitosi, il protagonista manomette il computer del vicino per entrare in casa sua e vedere che Lilli, effettivamente, si trova lì.

Summary of the Story

The protagonist of the story has just moved into an apartment building where Pietro and Lidia are also living. Pietro is a shy and mysterious man, while Lidia is an elderly woman who used to own Lilli, a dog who had disappeared some months before. When the protagonist visits Pietro's apartment to introduce himself, he hears a dog's lament coming from Pietro's apartment. Pietro instantly turns pale. The protagonist decides to sabotage Pietro's computer in order to enter his apartment and find out that Lilli is actually in there.

Vocabulary

- **cittadina:** town
- **trasferirsi:** to move
- **fantasticare:** to daydream
- **intento:** objective
- **palazzo:** apartment building
- **piazza principale:** main square
- **bizzarro:** bizarre
- **condomino:** resident
- **amabilmente:** pleasantly
- **intimorito:** intimidated
- **schivo:** introverted
- **disagio:** embarrassment
- **dare peso:** to give weight
- **successivo:** next
- **chiacchierata:** chat
- **scale:** stairs
- **campanello:** bell
- **spalancato:** wide open
- **accigliato:** frowning
- **conoscere:** to meet
- **allergico:** allergic
- **lattosio:** lactose
- **balbettare:** to mumble
- **scomodarsi:** to go to any trouble
- **pronunciare:** to pronounce
- **giungere:** to arrive
- **lamento:** lament
- **sbiancare:** to go pale
- **sbattere:** to slam
- **replicare:** to reply
- **perplesso:** perplexed
- **strano:** strange
- **bussare:** to knock
- **arzillo:** lively
- **accomodarsi:** to make oneself comfortable
- **sorriso:** smile
- **dente:** tooth
- **comportarsi:** to behave
- **atteggiamento:** attitude
- **del resto:** after all
- **scheletri nell'armadio:** skeleton in the closet
- **fumante:** smoking hot
- **provenire:** to come from
- **somigliare:** to sound like
- **scappare:** to run away
- **brutta fine:** bad ending
- **lacrima:** tear
- **vederci chiaro:** to see straight
- **ad ogni costo:** at all costs
- **stratagemma:** stratagem
- **bravo ragazzo:** good boy

- **mestiere:** job
- **tecnico informatico:** computer technician
- **manomettere:** to sabotage
- **far trasparire:** to show
- **vivace:** energetic
- **scodinzolare:** to wag the tail
- **confessare:** to confess
- **mostro:** monster
- **affezionato:** attached
- **riportare:** to take back
- **separarsi:** to separate
- **giardino:** garden
- **fare i conti:** to face up
- **accorgersi:** to realize

- **restituire:** to give back
- **fidarsi:** to trust
- **riferire:** to report
- **sollevato:** relieved
- **anziano:** elderly
- **badare:** to take care of
- **denunciare:** to report
- **arrabbiato a morte:** furious
- **contare:** to matter
- **valere la pena:** to be worth
- **lasciarsi alle spalle:** to leave behind
- **abbracciare:** to hug
- **recarsi:** to go to

Questions about the story

1. **Come si chiama il protagonista della storia?**

   a) Pietro

   b) Lidia

   c) Lilly

   d) Non lo sappiamo

2. **Che giorno è quando il protagonista arriva nella sua nuova casa?**

   a) Mercoledì

   b) Sabato

   c) Giovedì

   d) Domenica

3. **Che lavoro fa il protagonista?**

   a) Il veterinario

   b) Il tecnico informatico

   c) Lo sviluppatore informatico

   d) L'idraulico

4. **Perché Lilli si trova a casa di Pietro?**

   a) Perché l'ha rubata alla signora Lidia

   b) Perché Lilli è andata a casa sua

   c) Perché l'ha trovata per strada e ha voluto tenerla con sé

   d) Perché l'ha trovata per strada e non è riuscito a restituirla a Lidia

5. **Come si conclude la vicenda?**

   a) Lidia va a vivere a casa di Pietro

   b) Lilli rimane con Pietro

   c) Pietro viene denunciato

   d) Lilli torna a casa di Lidia

Answers

1) D
2) A
3) B
4) C
5) B

FREE BOOK!

Free Book Reveals The 6 Step Blueprint That Took Students
From Language Learners To Fluent In 3 Months

If you haven't already, head over to **LingoMastery.com/hacks** and grab a copy of our free Lingo Hacks book that will teach you the important secrets that you need to know to become fluent in a language as fast as possible.

MORE FROM LINGO MASTERY

Do you know what the hardest thing for an Italian learner is?

Finding PROPER reading material that they can handle...which is precisely the reason we've written this book!

Teachers love giving out tough, expert-level literature to their students, books that present many new problems to the reader and force them to search for words in a dictionary every five minutes — it's not entertaining, useful or motivating for the student at all, and many soon give up on learning at all!

In this book we have compiled 20 easy-to-read, compelling and fun stories that will allow you to expand your vocabulary and give you the tools to improve your grasp of the wonderful Italian tongue.

How Italian Short Stories for Beginners works:

1. Each story will involve an important lesson of the tools in the Italian language (Verbs, Adjectives, Past Tense, Giving Directions, and more), involving an interesting and

entertaining story with realistic dialogues and day-to-day situations.

2. The summaries follow a synopsis in Italian and in English of what you just read, both to review the lesson and for you to see if you understood what the tale was about.

3. At the end of those summaries, you'll be provided with a list of the most relevant vocabulary involved in the lesson, as well as slang and sayings that you may not have understood at first glance!

4. Finally, you'll be provided with a set of tricky questions in Italian, providing you with the chance to prove that you learned something in the story. Don't worry if you don't know the answer to any — we will provide them immediately after, but no cheating!

So look no further! Pick up your copy of **Italian Short Stories for Beginners** and start learning Italian right now!

Have you been trying to learn Italian, but feel that you're a long way off from talking like a native?

Do you want to have an efficient resource to teach you words and phrases very commonly used in endless scenarios?

Are you looking to learn Italian vocabulary quickly and effectively without being swarmed with complicated rules?

If you answered *"Yes!"* to at least one of the previous questions, then this book is definitely for you! We've created **Italian Vocabulary Builder - 2222 Italian Phrases To Learn Italian And Grow Your Vocabulary** – a powerful list of common Italian terms used in context that will vastly expand your vocabulary and boost your fluency in the "language of music", as it is romantically called.

In this book you will find:

- A detailed introduction with a brief, descriptive guide on how to improve your learning
- A list of **2222** keywords in common phrases in Italian and their translations.

- Finally, a conclusion to close the lesson and ensure you've made good use of the material

But we haven't even told you what we've got in store for you, have we? In this book, you will find phrases relevant to the most common and essential subjects, such as: Adjectives, Animals, Entertainment, Family and Friendship, Grammar, Health, Jobs Time, Synonyms and dozens of other must-know topics.

So what are you waiting for? Open the pages of **Italian Vocabulary Builder - 2222 Italian Phrases To Learn Italian And Grow Your Vocabulary** and start boosting your language skills today!

Is conversational Italian learning a little too tricky for you? Do you have no idea how to order a meal or book a room at a hotel?

If your answer to any of the previous questions was 'Yes', then this book is for you!

If there's ever been something tougher than learning the grammar rules of a new language, it's finding the way to speak with other people in that tongue. Any student knows this – we can try our best at practicing, but you always want to avoid making embarrassing mistakes or not getting your message through correctly.

"How do I get out of this situation?" many students ask themselves, to no avail, but no answer is forthcoming.

Until now.

We have compiled **MORE THAN ONE HUNDRED** conversational Italian dialogues for beginners along with their translations, allowing new Italian speakers to have the necessary tools to begin studying how to set a meeting, rent a car or tell a doctor that they don't feel well. We're not wasting time here with conversations that don't go anywhere: if you want to know how to solve problems (while learning a ton of Italian along the way, obviously), this book is for you!

How Conversational Italian Dialogues works:

1. Each new chapter will have a fresh, new story between two people who wish to solve a common, day-to-day issue that you will surely encounter in real life.
2. An Italian version of the conversation will take place first, followed by an English translation. This ensures that you fully understood just what it was that they were saying.
3. Before and after the main section of the book, we shall provide you with an introduction and conclusion that will offer you important strategies, tips and tricks to allow you to get the absolute most out of this learning material.
4. That's about it! Simple, useful and incredibly helpful; you will NOT need another conversational Italian book once you have begun reading and studying this one!

We want you to feel comfortable while learning the tongue; after all, no language should be a barrier for you to travel around the world and expand your social circles!

So look no further! Pick up your copy of Conversational Italian Dialogues and start learning Italian right now!

CONCLUSION

We hope you've enjoyed our stories and the way we've presented them. Each chapter, as you will have noticed, was a way to practice a language tool which you will regularly use when speaking Italian. Whether it's verbs, pronouns or simple conversations, the Italian tongue has a great essence of grammar which can be just as challenging to learn as it can be entertaining.

Never forget: learning a language doesn't *have* to be a boring activity if you find the proper way to do it. Hopefully we've provided you with a hands-on, fun way to expand your knowledge of Italian and you can apply your lessons to future ventures.

Feel free to use this book in future when you need to go back to remembering vocabulary and expressions—in fact, we encourage it.

Believe in yourself and never be ashamed to make mistakes. Even the best can fall; it's those who get up that can achieve greatness! Take care!

P.S. Keep an eye out for more books like this one; we're not done teaching you Italian! Head over to **www.LingoMastery.com** and read our articles and sign up for our newsletter. We give away so much free stuff that will accelerate your Italian learning and you don't want to miss that!

Made in the USA
Monee, IL
15 December 2020